国家出版基金项目
NATIONAL PUBLICATION FOUNDATION

《三联经典文库》

第二辑

2012 年国家出版基金项目

三联经典文库

132

# 战后日本问题

思慕　著

生活·讀書·新知 三联书店

图书在版编目(CIP)数据

战后日本问题 / 思慕著. -- 北京：生活·读书·新知三联书店, 2014.1
（三联经典文库.第二辑）
ISBN 978-7-108-04655-0

Ⅰ. ①战… Ⅱ. ①思… Ⅲ. ①日本－现代史－研究 Ⅳ. ①K313.507

中国版本图书馆CIP数据核字(2013)第246696号

132 战后日本问题

责任编辑 卢 莹
封扉设计 蔡立国
责任印制 李思佳
出版发行 生活·讀書·新知 三联书店
(北京市东城区美术馆东街22号)
邮　　编 100010
经　　销 新华书店
印　　刷 北京市松源印刷有限公司
版　　次 2014年1月北京第1版 2014年1月北京第1次印刷
开　　本 787毫米×1092毫米 1/32 印张 7
字　　数 96千字
定　　价 26.00元

# 《三联经典文库》出版缘起

适逢生活·读书·新知三联书店八十华诞，为弘扬传统，接续文脉，回报读者，服务社会，我们决定策划出版《三联经典文库》。

1932 年 7 月，生活书店在上海创办，此后，读书出版社和新知书店相继成立。本文库第一辑、第二辑所选图书，来自于这三家出版单位及其分支机构，以及 1948 年生活·读书·新知三联书店成立后的出版物，始于 1932 年，截至 1951 年，两辑各一百种。此为第二辑，涉及政治、经济、社会、军事、思想文化诸领域，涵盖专著、文集、散文、小说、诗歌、传记、报道等体裁，既有直面现实、追求真理、讴歌真善美、抨击假恶丑的原创作品，又有引介世界各国先进文化、传播新知、开启民智的迻译之作，真实记录了那一代知识分子的思考与探索、理想与愿景和对中华民族文化传承与创新所做出的努力与贡献。

本文库所辑入各书，多为名家名作，在版本方面，以初版一印本或经著译编者审定、修订、增订过的版本为首选，因此本文库又具有较为珍贵的版本价值和收藏价值。

本文库还将编选续辑，使之成为恢弘文化工程。诚挚希望读者给予批评和指正，帮助我们完善编选工作，再现三联经典作品之风采。殊为遗憾的是，由于年代久远，一些原著译编者及其后人未能取得联系并奉付稿酬，诚盼版权所有者与我们联系。祈愿三联前辈所创造的精神财富能薪火相传，为中华文化的伟大复兴增光添彩。

《三联经典文库》编辑委员会

2013 年 8 月

# 凡　例

一、本文库为重排本，由繁体字竖排版改为简体字横排版。

一、以忠实于原作、整旧如旧为编辑原则，对当时使用的专有名词、外文译名，以及民国时期的语言和特色予以保留。

一、原书注释如旧，编者所出的注释，均以“编者注”标明，以示与原书注释的区别。

一、对原书残缺或字迹漫漶之处，以□示代。

一、对繁简文本转换时的“如右”、“见左”一类，对应改为“如上（前）”、“见下（后）”。

一、对原书中各种错讹脱衍之处，直接订正，不再以其他符号标示。

一、对数字、标点符号的用法，在不损害原文语义的情况下，做必要的规范。

一、本文库各书均前插原书书影、原书版权页和文库版“本书出版说明”。

一、本书出版说明的撰写，以客观中立为原则，扼要介绍本书的内容、版本流转、著译编者的情况。

# 本书出版说明

本书写于1948年，日本投降三年之际。当时日本对《波茨坦宣言》基本没有履行，更严重的是，“它的侵略性的威胁，又像暴风雨要来时的乌云一样，一刻一刻地浓重起来了”。正是在这种情况下，作者搜集大量的资料，认真加以分析，一针见血地指出了战后日本问题的实质：战后日本的实际控制者是美国，而美国为了自己的经济利益，以及“反共反苏”的政治目的，要把日本打造成“亚洲工厂”和“反共反苏的军事基地”，所以美国根本不顾同盟国的反对，一再缩减日本的赔偿额度，尽力扶植其独占资本的势力，包括其军工产业，致使投降三年后的日本与投降前的日本不论在政治上还是经济上基本没有什么不同，日本在美国纵容鼓励下的侵略野心也昭然若揭。作者把这些真相揭露出来，意在警醒世人，特别是远东各国人民：“正视这种威胁，起来加以制止，这是非常必要的。”

本书由上海士林书店1948年12月初版，生活·读书·新知三联书店于1949年6月在上海初版，1949年11月再版，本次出版即以沪版初版为底本。

刘思慕（1904-1985），原名燧元，笔名刘穆、刘君木等，广东新会（今江门市新会区）人。中国国际问题专家。曾留学德国、苏联、奥地利。1946年加入中国民主同盟。历任香港《文汇报》总编辑、上海《新闻日报》总编辑、上海国际问题研究所副所长、北京国际关系研究所副所长、世界知识出版社社长、中国社会科学院世界历史研究所所长等职。1957年加入中国共产党。曾当选为全国人大代表、全国政协委员。著有《世界政治地理》、《战后世界政治地理》、《战后日本问题》等。

生活·读书·新知三联书店

2013年8月

1949年6月沪版初版书影

新中國青年文庫

# 戰後日本問題

著者 思慕

發行者 生活·讀書·新知 上海聯合發行所

基本定價 五元九角 外埠酌加郵運費

出版期 一九四九年六月滬初版

印刷者 科學印刷公司 上海中正中路五三七號



[89][C34] S.0001–3000(P.206)

原书版权页

# 目次

# 郭 序

日本投降之后仅仅三年，和约一直还没有签订，而它的侵略性的威胁，又像暴风雨要来时的乌云一样，一刻一刻地浓重起来了。

这是因为美帝国主义为了它自己的统治者独占资本家的利益，在尽力扶植日本，利用日本的工业潜能和好战野性，来间接地奴役远东各民族。美国独占资本家是猎人，日本将成为他的鹰犬，而我们是被猎的对象。

远东各民族的人民是不甘心的，我们中国人民是尤其不甘心的，我们受了日本帝国主义几十年的榨取，胁制，侵蚀，更经了八年的血战，牺牲了千万的生命，不可计数的财产，所换来的才是做奴隶的命运，我们能够甘心吗？

反美扶日的运动在远东各民族都掀卷了起来，在我们中国尤以极迅速的步骤展开而深入着，是有充分的理由的。

但也有些丧心病狂的人，或素受美帝豢养的“学者”，一直到今天都还在替美帝辩护，想帮助它欺骗人民，并麻醉人民的爱国自卫的意识。这些人实在是可恨，但感情上的憎恨是无济于事的。“学者”们的伎俩惯能伪装出一个心平气和，大有“举天下而非之不加沮”的超妙。因此，我们还必须多做些揭露欺骗，解除麻醉的工作。

要怎样才可揭露欺骗，解除麻醉呢？最好的办法是实事求是地把事情的真相表白出来，使天下的人能够有目共见。事实是一面照妖镜，任何善掩饰的狐狸，在这之前都要露出原形来的。

刘思慕先生有鉴于此，在业务的百忙中写出了这部《战后日本问题》，把三年来的日本近况和美帝扶日的真际，几乎毫无遗漏地暴露了出来。这实在是一部最切合时宜的力作。我很感谢思慕先生，他把原稿给我看了，并要叫我写一篇序。当我把这部力作一口气读完了之后，我低下头来了。我默祝着：这样的一部好书，实在是应该人手一编的。

我自己在日本前后住过二十年，自信对于日本的认识也还比较真切。但自抗战发生以来，我离开日本已经十一年了。离开得太久，资料很不容易得到，谈到日本问题，便不免感觉到空虚。要和敌对者论辩，你如举不出具体的事实来，你是不能致敌死命，而征获第三者的信赖的。我自己也时常在怨艾，资料纵不易得到，但经常见于报章杂志的报导也未始没有，平常为什么不下点苦工把它们搜集起来呢？该惩戒的是这种玩忽的态度呵！

但我现在可得到满足了，是思慕先生这部力作补偿了我的缺憾。尽力推荐这部书的责任在我是义不容辞的。我要向思慕先生表示感谢并庆贺，他实在是做了一件有意义的工作。思慕先生是很谦逊的人，对于他自己的著作或许会认为有些地方还未能满意，但我要想到他的业务百忙而资料实在也不容易到手，能够有这样的成就，已经足以惊人了。

我要再说一遍：这部力作实在是最切合时宜的，而作者的实事求是的精神，尤其值得我们学习。

郭沫若　一九四八年八月十一日

# 第一章　比比战前的日本和《波茨坦宣言》

一九四五年八月十日日本接受波茨坦的投降条件，结束了第二次世界大战中远东方面的战争，但日本真的是战败了么？

据美记者康德（David Conde）的报道，东京一个英国名流曾说："日本有没有打赢这场仗，现在还不清楚，但它的确没有打输。"也有人说，日本在军事上打输，但在政治上打胜。这些话是信口开河，还是信而有征呢？

## 仅仅在表面上被打败了

是的，从表面上看来，日本明明被打败了。一九四五年九月三日“米苏里”号舰上日本代表重光葵签降以后，日本的属土朝鲜，台湾，南库页岛，千岛，琉球，小笠原，硫磺等岛，太平洋代管岛等被迫归还或被剥夺了（比起它侵略最盛时，日本领土由4，262，912方哩减至147，611方哩，人口由505，000，000减至投降初期的69，000，000人，现则恢复到78，627，000人）；本土也被盟军占领了，发号施令的最高权力转入盟军总部之手了；军事机构和陆海空军队是荡然无存了；甚至内务省也取消了；大批战犯锒铛入狱了，有一部分（例如谷寿夫，田中久一，山下奉文，本间晴雅等）且已“明正典刑”了；日本对中国和若干胜利国的赔偿已经开始了。这一切都像是说明侵略好战的日本已在履行投降的条件，自食其报了。

然而，正如一头猛虎被打出血，去掉了一些皮肉以至尾巴，一时间蜷伏不动，而要害未曾被击中，锐牙利爪未被拔除，就不一定算是被击败，可能仍有后患那样，上述那些现象也不一定说明日本已经是一败涂地，不足为患了。

要确定日本帝国主义是否真正被击败，是否不能再发动侵略和侵略的战争，有一个标准可据以判断，那就是规定日本投降条件的《波茨坦宣言》。为帮助读者观察战后日本的动向，让我们把该宣言的投降条件复述一下。

## 《波茨坦宣言》是判断的标准

该宣言说："以下为吾人之条件，吾人决不可更改，亦无其他另一方式，犹豫迁延，更为吾人所不容许：

"（一）欺骗及错误领导日本人民使其妄欲征服世界者之权威及势力必须永久铲除，盖吾人坚持非将负责之穷兵黩武主义者驱出世界，则和平安全及正义之新秩序势不可能建立。

"（二）直至如此之新秩序成立时，及直至日本制造战争之力量业已毁灭而有确实可信之证据时，日本领土须经盟国之军队予以占领，俾吾人在此陈述之基本目的得以完成。

"（三）《开罗宣言》之条件必将实施，而日本之主权必将限于本州、北海道、九州、四国及吾人所决定其可以领有之小岛之内。

“(四)日本军队在完全解除武装以后，将被允许其返乡获得和平从事生产生活之机会。

“(五)吾人无意奴役日本民族或消灭其国家，但对于战犯(包括虐待吾人俘虏者在内)将处以法律之裁判，日本政府必须将阻止日本人民民主趋势之复兴及增强之所有障碍予以消除，言论宗教及思想自由以及对于基本人权之重视必须建立。

“(六)日本将被许维持其经济所必需及可以偿付赔款所需要之工业，但可以使其重新武装作战之工业不在其内；为此目的，可准其获得原料(别于统制原料)，日本最后参加国际贸易关系，当可准许。”

如果上述这些条件，战后日本都已在切实履行，那么，我们便可以说，日本之被击败，日本侵略根株的挖除，已获得相当的保证了。然而，事实上，除了第三条关于领土一项外，使其他各项却未见切实实施，甚或反其道而行之。我们试问一下：“欺骗及错误领导日本人民使其妄欲征服世界者之权威及势力”真正被铲除了没有？“负责之穷兵黩武主义者”被“驱出世界”没有？“日本制造战争之力量”被毁灭了没有？日本军队有没有伪装地存在？日本的战犯是否已经尽法惩处？有没有被纵容？足以“阻止日本人民民主趋势之复兴及增强之所有障碍”是否已经消除？言论宗教及思想的自由和基本人权是否已获得适当的保障？对于这一连串的问题，我们的答案不能不是个“否”字，下文将以事实来阐明。

## 日本的“美国革命”？

是的，在麦克阿瑟和为他捧场的人看来，在美国的占领和管制之下，像发生“奇迹”似的，日本已经过根本的改造。麦克阿瑟竟把日本的“精神上的革命”比于英国的“大宪章”和“美国独立宣言”。“美国自由同盟”主席鲍尔温应美国驻日占领军当局之邀到日本考察回来，著文对日本“改革”的成就，颂扬备至，称做日本的“美国革命”。但事实是不是真的这样呢？要解答这问题，让我们首先以一些篇幅简括地说明在投降之前日本是怎样一个帝国主义国家，造成它的黩武侵略是那些政治经济和社会的特点。

## 与战前有根本的不同吗？

不消说，日本既是一个帝国主义国家，与英美德法等帝国主义国家一样，它是给独占大资本家所支配的。在战前，日本十几个大财阀，五个大银行（参阅第八章）控制了日本整个国民经济，因而也操纵了政治。日本政府实在是为着这些资本家的商业利润和在世界市场的独占而疯狂地向外扩充，以至挑起侵略战争。在大财阀中，三井，三菱，住友，安田四个大财阀特别是日本帝国的实际统治者，政党不过是他们的代理人，军阀也不外是他们的猫脚爪（法西斯军人骑在他们头上而替他们效劳）。

但是，比起英美法等帝国主义国家来，战前的日帝国主义却有一些不同的特点，那就是，它是一个特殊形态的法西斯国家——带有浓厚的封建气味的军事法西斯国家。

日本的资本主义虽有高度的发展，但封建制度和势力仍在日本的政治和经济机构中占重要的地位。这首先表现于天皇和天皇制。这一个所谓“万世一系”的天皇，不仅是被视为神明，注定应宰制世界的神裔，而且他本身是个大财阀大地主的结合，是日本的统治机构的最尖端，内阁对天皇负责而不是对议会负责。通过那环绕着周围的元老重臣以及“统帅权”，宣战媾和的大权，天皇实是日本最高的政治负责者，而不是像英国君主那样有名无实。

其次，除了元老重臣之外，封建的遗物如枢密院，贵族院，对实际政治都有重大的影响，使日本的“议会政治”再打折扣。

在社会方面，贵族与贱氓那样的阶级悬殊并没有废除，封建的习俗大部被保存着。在思想上，不独“忠君”的教条支配着日本人民，而且封建的宗教“神道”教被奉为国教。

封建势力依然强大的基本原因，在于地主剥削制的根蒂差不多原封不动，这即是说，土地所有制依然是封建之旧。以战前日本的土地而论，虽说小地主较占多数，但封建大地主所拥有的土地面积为数不少。而小地主也是以剥削地租为生的寄生阶级。日本的农户中经营的土地在町步（等于二点四英亩）以下的小农占全数四分之三，耕地之属于自耕农者不过百分之四十八，佃农向大小地主纳租常超过其收获的百分之五十（参阅第八章）。这说明日本的土地所有制度还是封建的剥削制度。日本政治的封建阶层的势力就是建立在这剥削制度基础之上的。封建剥削的重压，一方面使国内购买力薄弱，国内市场狭隘化，予对外扩充以刺戟，他方面造成大批破产的农民，使转化为廉价的劳动者，增强日本货品对外的竞争力。同时，表面上“人浮于地”（人口过剩）的现象在思想上构成了日本法西斯对外侵略的借口。

军阀，黩武主义者，在日本政治中占重要的地位以及日本法西斯—帝国主义之特别饶有军事的色彩，也是与封建势力的存在有关。明治维新以前，日本为封建军阀——“幕府将军”和“武士”——所统治。明治维新并没有把这种势力彻底清除，而只是意味着封建地主，军人与新兴的资产阶级的妥协。“军部”通过了陆海相在内阁中的特殊地位（如“帷幄上奏权”，即内阁中的陆海军大臣对天皇直接负责，不经过首相而上奏；又如陆海相可自荐继任人选等）以及军事参议院等，操纵政治外交。同时军阀与财阀勾结，武士变相的浪人在国内替财阀压迫劳工，在国外充他们侵略的马前卒。经过“中东”（或称日清战争，即我们常称的甲午战争）、“日俄”战争和第一次大战的胜利，军阀趾高气扬，黩武主义更根深蒂固。军部以至少壮军人越来越跋扈了，军人团体（例如在乡军人会）的运动连同学校的军事教育，散布黩武主义的毒素，在社会中影响很大。武士道的崇拜以及歌颂战争和军人的纪念物，成为日本社会生活的中心。这一切使日本帝国主义的侵略更加疯狂和野蛮。

像德、义一样，独占资本的发展和碰壁，使日本走上法西斯化之路，使它的统治者以对内强化独裁，对外加紧侵略，作为企图解决社会和世界矛盾的法门。但是，以日本封建军人的势力雄厚的缘故，日本这一个法西斯国家，特别要冠上“军事”两个字。这即是说，日本的法西斯化是通过军部独裁的形式来推行，在法西斯的舞台上，军人站在前台，而大财阀居于幕后。标榜着“日本主义”的法西斯团体多是以少壮军人为领导者和干部，不满意于自上而下的缓进的法西斯化，急进的军人更发动政变（例如一九三六年的“二·二六事变”），谋以武力建立纯粹的法西斯政权。许多军人的团体也就是法西斯运动的组织。在军事法西斯的统治之下，日本人民的民主力量被窒息了，黩武侵略更如疯似狂。

以上所说的就是战前日本帝国主义的特色，也就是《波茨坦宣言》所谓“欺骗及错误领导日本人民使其妄欲征服世界者之权威及势力”所在的地方，也就是该宣言所谓“阻止人民民主趋势”的最大的“障碍”。

战后日本的黩武侵略力量是否已经被摧毁，它的经济政治是否已经民主化，那就要看战前日本这些基本特点有没有被廓清。

# 第二章　麦克阿瑟的片面管制

“战败国”的日本与战败国的德国，虽同是被战胜国占领和管制着，但占领和管制的方式却大不相同。

## 跟德国的管制不同

德国以至柏林分归苏美英法四强占领，该四国的军事首长为四占领区的首长，四国同时在柏林合设盟国管制委员会共同处理德国问题。四占领区分设苏美英法军政府，直接统治德国。

不错，执行占领和管制日本的最高当局是所谓盟国最高统帅(Supreme Commander of Allied Powers)简称“盟总”(SCAP)，但事实上“盟总”之“盟”只虚有其名。占领日本的实只是美国一国，管制日本的实只是代表美国的麦克阿瑟元帅。同时，日本政府在组织上依然存在，并不像德国那样以军政府来代替日本政府。“盟总”的号令依然通过日本之手来颁布和施行。

在日本投降以后，盟国派去日本驻扎的，除了美国以外，虽还有英，澳，纽，印军以及南京政府的四十名宪兵，然实都是“象征”的占领，英印军且已全数撤回。初时美方生怕苏军会占领北海道，后来曾假惺惺地邀请英苏派军参加日本占领，苏联知道是种姿态，婉辞谢却了，只派了八百个军事观察员到日本各地去。但美国却有第八军一军，相当强大的舰队和海军陆战队占领日本各地。[1]

说到“盟军总部”，机构是够庞大的，下设经济与科学，宣传与教育，自然资源，公共卫生与福利，政府，法律，国际检察，民用交通，统计与报告，及间谍、情报与外交等十组，组成军政府，指导监督日本政府。“盟总”的要员都是由美国人担任，发号施令的最高执行人

[1] 驻日美军初有十五万人，英军初有四万人，英军于一九四七年开始撤离，印军于七月撤走，纽西兰军则于一九四八年七月撤走，现盟国占领军约为六万至七万人。

是麦克阿瑟，类于美国驻日大使的“盟总”政治顾问（旧任为阿契逊 Atcheson，现任为施巴德 Sebald）在政治上辅弼麦氏。麦氏的一切行动，直接对美国军部负责。军政府设有一个咨询机构“国务院陆军部海军部联合委员会”，关于对日管制政策的决议，经该委员会讨论后交陆海军联合参谋部颁发命令与麦氏执行。

## 两个盟国委员会

其他盟国既不能插足于“盟总”，苏联曾要求由中美苏英四国共同管制，但美国只答应组织远东顾问委员会，供麦氏的咨询。到了一九四五年十二月莫斯科会议，决定设立两个委员会来辅助“盟总”。一个是“远东委员会”，由英，美，中，苏，法，荷，加，澳，纽，印，菲十一国代表所组成，设于华盛顿，其任务为树立盟国占领管制日本的共同政策，类于一个立法机关。另一个是盟国管制日本委员会，由英美苏中四强代表所组成，设于东京，为“盟总”的咨询和顾问机关。现任的委员人选是美国代表施巴德，兼任主席，中国代表商震，苏联代表吉斯伦柯，英国代表萧氏。照该会的组织法，麦克阿瑟在实施政策之前须先咨询管制会而得其同意，但如遭管制会多数反对，麦仍得以其最高指挥官的权力，任意施行其政策。不过，关于如下三大问题，管制会中有一人反对时，在远东委员会决定以前，麦克阿瑟不得施行其政策：（一）日本的基本政治组织的变革（例如宪法修改）；（二）日本管理制度的根本变革（例如军政府的废除）；（三）日本政府的全体变更（例如内阁的全体更选）。麦克阿瑟除了应将对日政策逐一交管制委员会咨询之外，该会各盟国代表亦得建议该国所欲实行的政策，或把麦克阿瑟过去所发指令加以检讨。至于远东委员会决定的对日政策，经美政府通知后，麦克阿瑟当提付管制委员会讨论决定而加以实施。

这两个机构虽像能够牵制麦克阿瑟，但事实上两机构并不能行使它们的职权。

## 日本的太上皇

美国给予麦克阿瑟这一个最高指挥官的权力是够大

的。日皇与日政府的权力，是受最高指挥官的节制。最高指挥官有实施投降条件，指挥占领行动及统制日本所必要的大权。最高指挥官假日本政治机关（连日皇在内）之手行使其权力。如日本政治机关不能满意地适合最高指挥官之需要，最高指挥官得凭其职权与职责变更政府机关或人物，或作直接行动。凭着这样的大权，刚愎成性，习于骄慢横恣的麦克阿瑟，便更独断独行。莫斯科会议决定设立远东委员会和四强管制委员会之初，麦克阿瑟满怀不高兴，认为“讨厌”，但他并没有因这两个机构的存在而稍戢其片面的行动。远东委员会十一国中，除苏联外，不是在经济上依存美国，就是他的附庸或殖民地，所以美国代表满可以操纵该委员会，即使该委员会对占领政策有所决议，麦克阿瑟总部也可片面予以变更或废弃。比方去年六月间远东委员会通过的对日基本政策，实际上不过将杜鲁门所宣布之“美国对日政策”（见后）略加修正。又如美方交远东委员会所讨论的解散日本经济独占组织的计划，本很温和，但最近美国务院和陆军部已确定片面予以放弃。再如麦克阿瑟没有预先得到远东委员会的准许，即擅自派遣日本无线电专家参加日内瓦国际无线电会议，这明明是美方片面的专断行动，抹煞了远东委员会。苏代表驻美大使潘友新提议斥责麦克阿瑟，委员会许多代表都不高兴美国派遣日本代表参加国际会议，但以畏惧美国之故，不是投反对票便是弃权，苏联的控诉便被否决。

至于东京对日管制委员会也同样不被麦克阿瑟和他的代表放在眼里。虽然苏代表严守《波茨坦宣言》的立场，不放松美国任何违反该立场的行动，但在那儿的苏代表是孤军奋斗的。英国政府已经自己承认英国在占领日本的工作上没有担负任何的任务，因此管制委员会的英代表除了有时温和地批评或反对美方的措施之外，大体上是唯唯诺诺的。至于中国呢，用《密勒氏评论报》的话来说，“东京的中国代表，只要美国占领当局命令他如何做，差不多每一次他都是遵命的”。另一个美记者劳特巴哈也说：“中国代表差不多从不提出议案，除了支持阿契逊之外，极少说话。”[1]一九四七年十二月卅一日，该委员会举行例会，苏代表吉斯伦柯照议事规程

[1] 见劳特巴哈（R. E. Lauterbach）《危险来自东方》（*Danger from the East*）一至七页。

建议，请该委员会把苏联要求“盟总”报告日本解除军备的实情列在议事日程之内，但施巴德却拒绝苏方的请求，并诬苏联此举志在获得“充分的情报”。这不仅表示美方不许其他盟国过问像解除日本军备那样重大的事，而且在这方面一定有不少不可告人之隐。又如一九四八年三月三日，芦田内阁成立后，苏代表在管制委员会上猛烈抨击芦田均，指斥他曾与日军阀合作，但施巴德却截断他的发言，说苏代表无权干涉“由日本国会以民主手续选出之政府”，这显然与莫斯科会议决议关于该会的权限的规定不符。吉斯伦柯曾五次要求主席允许他继续发言，每次都遭施巴德拦住。由于麦克阿瑟与其代表的专横独断，对日管制委员会现在形同虚设。每两星期召开例会一次的该会，近四个月来只讨论过一个问题，每次开会常常几十秒钟就结束了。美国的政策如不变，这个委员会可能无疾而终。

## 也当作活神来膜拜

被称为“老头子”（Oldman）的麦克阿瑟（今年六

十八岁），早在菲律宾的时候已以跋扈骄慢著称，他指挥西太平洋战事的成功和美国所赋予的盟军统帅的崇高位置，更使他的个人英雄主义发展到最高度，而成为狂妄不下于希特勒的独裁者。在日本，他不仅是太上皇，是“麦帅陛下”，而且是被宣传成为日人所膜拜的“神”。他有决断，自信心强，同时他是一个狭隘的国家主义者，在记者的面前，他称苏联为“俄国熊”，称中国人为“中国佬”（China man，带有轻蔑的意味）。他自称为“开明的保守派”，实际上是一个反共反民主的军阀。当然，美国今日在日本所实施的管制政策的根源，是应当从华尔街整个的制霸世界计划中寻求，但麦克阿瑟个人的这种特点更增强了美国对日管制的片面性。

说到辅助麦克阿瑟的“盟总”官员，自然是物以类聚。“盟总”的主要人员，多半是由美国工业和金融独占企业派遣来的“专家”，以及赫斯特（麦克阿瑟的好友），麦柯米克报业托辣斯和其他报业大王派遣来的一辈狂妄不法、贪污腐化的文丐[1]。他们不仅反苏，甚至

[1] 见《上海时代日报》（一九四七年十月廿日）皮台尔斯基著《美国战败在远东》。

还反英。[1]初时,“盟总”还有一些“自由分子”,或“粉红色分子”,但现在这些稍进步的分子,连同那些与麦的意见在任何方式上有所不同的军官和高级文官已被淘汰殆尽,“盟总”变成一个差不多清一色的麦克阿瑟机关。纵然不能说,所有“盟总”的官员都是“唯唯诺诺的人”,但极少人有勇气在主要问题上和麦克阿瑟争论得太久,却是事实。[2]这样子一副滑润而配合无间的麦克阿瑟机构,当然忠实地为美国的独占资本服务。

---

[1] 据英国民主管理协会编印的小册子《日本》第七页。

[2] 例外不是没有的,例如一九四八年七月廿二日麦克阿瑟致函芦田均,命令他修改公务员法,不许公务员和公用事业职工罢工,“盟总”劳工课课长季伦和副课长史坦契菲尔德便以辞职来表示抗议。参阅第九章“如此民主自由”。

# 第三章　美国对日政策的实质

## 宽大不自今天始

单从表面上看来，“宽大”到危险的程度，是美国片面管制日本政策的特色。其实，美国一开头，甚至在日本还没有投降之前就对日本表示“宽大”了。在波茨坦会议前后，美国副国务卿格鲁[1]和海军部发言人查贾里瑞士海军上尉之流就曾对日本提出所谓“软性”的和平条件，答应如果日本在苏联参战以前投降，可不摧毁日本的工业基础。《波茨坦宣言》没有明确规定天皇制的取消，也是美国对日宽大政策的表现。麦克阿瑟到了日本之后，保全和尊重日皇，并假手相当完整的日本政府机构来管制日本，这打下了此后政策的基础。不错，

[1] 最近格鲁与一些亲日人士组织美日协会。

在一九四五年伦敦五外长会议到莫斯科四外长会议期间，由于日本对美还没有完全就范，由于四强之间还保持相当的合作，美国反苏反民主还没有怎样露骨，美国舆论主张严厉管制日本的倒占多数。[1]一九四五年九月廿二日白宫发表对日的基本政策，包含如下要点：（一）保证日本不再威胁和平，（二）组织负责和平的日本政府，（三）美愿与民主自主的政府合作，而不强迫日本组非民意的政府。再过几天，国务院又宣布，日皇须唯“盟总”之命是听，“盟总”的措施无须先与日方协商。同时，麦克阿瑟对日政府的干涉也像是严厉起来，像迫使东久迩内阁下台，废除神道教为国教，削除天皇的神性，取消日本军部等，都是那时干的。

## 马脚渐露出了

可是，事实上，美国之违背《波茨坦宣言》的立场，日渐明显，由一九四五年十二月七日美总统赔偿专

[1] 据一九四五年八月廿一日美民意测验所举行的测验，主张极端严厉管制日本的占百分之十四，主张严格管制与惩罚战犯的占百分之三。

使鲍莱所发表的日本赔偿计划，到一九四七年一月斯揣克代表团所建议的反赔偿计划[1]，就已暴露出美国助日复兴政策由暗而明的事实。一九四七年三月十七日——杜鲁门主义宣布之后五天——麦克阿瑟发表一个声明，那就可以视为一种“新政策”的具体的表现。所谓“新政策”，就是说麦克阿瑟已断然抛弃波茨坦会议的立场。在该声明中，麦氏宣布如下几点：（一）与日本订立和约和建立非军事性的管制的时机已成熟，（二）日本在“新宪法”上明言放弃宣战的国家权力，对世界和平大有“贡献”，（三）和约签订后应许可日本建立小规模的军备，（四）日本已成为一个民主国，（五）不应向日本索取大量的赔偿，（六）只有恢复日本的对外贸易才能解救它的经济危机。跟着，同年五月八日，当时任副国务卿的艾其森公开的说：“重建欧亚两个大工厂——德国和日本，是两洲复兴所系的措置。”同时，共和党头子胡佛还建议美国单独谈判对德对日和约。同年六月九日，美国国务院与陆军部发表联合公报，正式宣布在复兴日本经济的前提下，于八月十五日起开放日本的对外

［1］详见第十章“经济复兴的新威胁”。

贸易。七月十一日，美政府没有事先跟别的盟国商量而宣布定于八月十九日召集远东委员会十一国开会，准备对日和约。这些表示麦克阿瑟所宣告的“新政策”已逐步转化为行动了。

## 公开的扶日措施

然而，自一九四八年初开始，这种“新政策”的实施，已到了变本加厉肆无忌惮的地步。随着一九四七年底伦敦会议的失败，美苏间的“冷战”愈演愈烈，同时，中国内战发生了不利于美国的重大变化。美国便以这种新的形势为词，公开地和明确地接二连三地宣布了积极助日复兴，在远东防苏防共的政策和计划。下录的一连串的言论和行动，就可作为美国厉行“新政策”的注脚：

一九四八年一月六日，美陆长罗耀尔在旧金山演说，主张“在日本建立一个自给自足的‘民主国’，一要十分强大，十分稳定，而足以支持得住，并充作将来远东发生的任何极权战争威胁的一个制动机”。

一月八日，美联社报道：“美国政府现在更赞成恢复日本为亚洲最强的工业国。华府和东京已展开一个决心的运动，把日本赔偿减到最低限度。目前奠定一个强盛的日本，不仅为防苏所必需，且可充作亚洲的工厂。”

同月十五日，麦克阿瑟派遣他的参谋次长霍克斯返美，向国会就明年度日本经济复兴方案，详作说明，力求通过，并携带麦氏写给陆长罗耀尔的特别书简。

二月廿六日，美国务政策院企划局长反共专家肯南被派往日本与麦克阿瑟和日首相芦田会谈。

三月九日，美国政府公布第二次到日的斯揣克调查团减缩日本赔偿，复兴日本工业的报告。

同月，美陆次德莱柏所率领的视察团抵日本，四月初返美后发表全力扶植日本经济复兴的计划。

四月十二日，美陆军部民政司长诺斯所率领的代表团抵日，研究扩大日本贸易和经济复兴的办法。

五月六日，麦克阿瑟总部的特别顾问阿克曼建议复兴日本经济的五项计划（包含减低日本工业限制至最大限度，扩大对外贸易，减少赔偿等）。

五月十七日，美陆军部根据德莱柏视察团的报告，建议日本赔偿额削减至一亿六千五百万美元（比任何建议都低），东北台湾的敌产正式认为赔偿品，并在经济上大规模援助日本，使它每年的输出能达十五亿七千五百万美元。

这一切说明了美国现在日本做的一套，已经明白地不是管制日本，而是扶植日本，不是防止日本帝国主义侵略的复活，而是为它厚培植经济上的基础。其为撕毁《波茨坦宣言》，自不待言。

## 反共反苏

美政府对日政策这样的“宽大”，当然不是有所爱于私人，而是为着美帝国主义自私的利益，不消说，美帝国主义是要把日本变成它的殖民地的，而且事实上日本现在已是美国的殖民地。不过，在美帝统治世界整个计划中，日本这一殖民地是有它的特殊的任务的。美作家阿伦在所著《国际独占资本》一书说得很对，美国对日政策的目的，是要“确立对日本的片面管制，把远东这一块帝国主义的咽喉阵地保存着，作为美国向远东侵入的一块垫脚石，作为对付苏联的一个堡垒”。

关于利用日本来反共反苏一点，美国并不讳言。在日本投降以前，美国曾向日提出“软性”的和平条件，不独为预防苏联参战，干预和约的决定起见，而且欲以此保存日本作战力量的根株，俾将来可以借以应付苏联。在日本投降后，据说，当苏联要求在北海道登陆的时候，麦克阿瑟吼叫道：“这不行，如果那些坏红军要进来，倘若有了战争，我们就把军队驻在他们本国基地之间！”一九四七年二月，日本大选之前，麦克阿瑟的发言人奉命对记者声明美国的态度说：“美国憎恨一国又一国的树立了一党专政而摧毁了民主。美国将在世界任何一地打击的——像过去打击纳粹主义，法西斯主义和东条的日本主义那样——正是这种反民主，纯政治，无忌惮侵略的共产主义。”这里所说的“共产主义”虽然主要是指日本国内的进步的人民的力量，但也暗暗包括社会主义国家的苏联在内。一九四八年初以后，美国反苏的全球性“冷战”毫无顾忌地展开，以反苏反共为扶植日本的理由，已出诸官方人士之口。战时美第三舰队司令海尔赛上将于二月廿三日在费城演说称：“日本必须和欧洲一样复兴，因为将来有一天日本可能是我们与未来侵略者之间的堡垒。”所谓“未来侵略者”无疑是指苏联。在肯南动身赴日的时候，美国高级官方人士告合众社记者说：“马歇尔派遣他的外交政策高等顾问肯南赴日本，是美国想剧烈改变其对日政策，竭力建设日本为一堡垒，以阻止苏联在远东扩张的先声。”肯南返国后表示：“鉴于美苏关系在世界各地都一般地更恶化，重视日本作为亚洲防共堡垒的军事重要性，实有必要。”（合众社华盛顿四月二日电）

美国选择日本作为远东反苏的前哨堡垒，是毫不足怪的。第一，日本既密迩苏联远东区，有不少的良好海空根据地，在军事地理上可作为自东方进攻苏联的跳板。第二，日本是东方工业（特别是军事工业）最发展的国家，有八千万人口，现在在军事政治上既受美管制，在经济上又仰其鼻息，美国正好利用它的人力物力，充反苏之用。[1]第三，日本本是反苏的轴心国家，由政府机构到社会意识形态，都是为侵略战争而塑捏，是美国

[1] 澳洲雪梨《星期太阳报》正确地指出：美国对日政策“是在实际上将这个国家造成美国的保护国，建立对日本人民和工业的管制权，而将他造成和平时期对抗苏联的缓冲和战时的佣兵”。

反苏的理想的前驱。这诚然不是说，美国拣中了日本做反苏堡垒，便不再要中国做反苏基地，但中国政府的不长进，使它更加垂青日本，却是事实。所以美高级官方人士于一九四八年二月廿七日告合众社记者说："马歇尔决定协助日本复兴，一部分是由于他获致的结论，即中国政府将永不能在抵抗亚洲共产主义中处于决定性的地位。"

## 防共的真意

同时，我们还要知道，所谓利用日本来"防共"，实际上就是利用日本作为美帝国主义控制和奴役远东人民的工具，日本人民固是在控制剥削和奴役的对象之内，但中国人民特别是主要的对象。以这一点而论，日本在亚洲的作用，正如西德之在欧洲一样。美方所谓扶助日本复兴，使成为"亚洲的工厂"，就是把"工业日本，农业中国"的日本帝国主义的侵华口号的适用更扩大，而成为"工业日本，农业亚洲"和"兵工厂日本，战场中国"。美帝的企图，是拿它的资本与日本的技术、工业设备和廉价劳动结合起来，掠夺亚洲各国的原料，恢复日本在亚洲上的工业领导地位，从而独占亚洲各国的市场。换一句话说，美国要利用日本，化远东各国为美日双料殖民地，而中国是这些双料殖民地中最大的一个。而且，在美国看来，东南亚的印度，印尼，越南，缅甸的民族运动固还没有被压下去，整个朝鲜和中国的“赤化的危险”日形严重，美国单靠菲律宾或太平洋其他美占岛屿来做侵略和奴役远东的基地是不够的，日本必须发展为这样的基地。日本自第一次英日同盟以来便当西方帝国主义国家在远东的警犬，有了近四十年的统治奴役远东殖民地人民的经验，美帝自然认为它可以“胜任愉快”。美进步团体“日美民主委员会”主席松冈说得对，美国扶植日本政策“不仅是为华尔街和日本大财阀的利润而奴役日本人民，而且也把日本化为反对中国人民的军事和供应基地”。美记者康德也同样看到美国利用日本控制中国的政策对中国的威胁，他很形象地说道:“日本不久又将带着他们的事件旅行袋向中国出发。”关于美国对日政策对远东人民的威胁，苏评论家马尔柯夫正确地指出:“美国对日政策，不但不去消灭日本将来对远东人民的威胁，相反的，已经在使这种威胁成为一种现实了。美国对日政策，和它要恢复亚洲殖民地统治并镇压民族解放运动的政策，是有着直接的联系的。”

为使日本这个殖民地发挥上述的两种特殊的作用，美国就要扶植日本，重建日本，使成为特殊的殖民地。——在超级帝国主义国家美国的支配之下，恢复日本帝国主义。用美第八军军长艾契尔伯格的客气话来说，美国要使日本变成“强大的友邦”。

为恢复日本的“强大”而扶植日本，美国不仅要在经济上加速日本的复兴，而且自然要重新武装日本。事实上，美国扶植日本的政策，确已从经济发展到军事的阶段了。关于这些，我们留待第十一章加以说明。

也许会有人感到奇怪，为什么美国这样快就把侵袭珍珠港的深仇忘得一干二净？为什么美国不怕养虎为患？这些疑问都是以常人之心理来推测美国统治者，却不知操纵美国对日政策的华尔街主人有他们的“生意人眼光”（德莱柏语）和算盘。

# 华尔街的算盘

一个国家的独占资本常常与别国的独占资本有血肉相连的姻亲关系的，美日的独占资本自不是例外。在战前，日本的大独占资本固然需要美国市场去推销日本的丝和其他商品，但也需要美国的原料和机器。另一方面，美国大资本家对日本工业的投资非常有利，他们与日本的资本家共同榨取日本的廉价劳动，而获得超利润。战前美国大公司在日投资总额虽未超过五亿美元，但与日本大财阀的结合——如成立卡特尔的协议——已有一些事实被揭露出来。根据东京占领军当局的一次较早的调查报告：美国制铝公司通过它的加拿大支公司，掌握了住友制铝厂的百分之三十的股份；国际电话电报公司跟威士丁豪斯电器公司与住友五金工业会社订有关于磁性钢的专利契约。威士丁豪斯公司也掌握有三菱工业会社的股票。国际电话电报公司的一个附属公司，握有百分之二十的住友电器的股份，并保有选出四分之一董事的权利；跟纽泽西美孚煤油公司有密切联系的潮水联合煤油公司 Tidewater Associated Oil Co. 在三菱石油会社中握有值二百万美元的股份，在珍珠港事变以前且经常以原油供给三菱。此外，日本五大银行和美国银行事业间也曾有着密切的关系。其他跟日本产业有关系的美国企业公司还有通用汽车公司，全国铝业公司，纽泽西美孚煤油公司，李贝一奥文斯一福特公司 Libbey-Owens-Ford。[1] 据日人方面的报告，在战前，摩根财团所属的通用电力公司 I·G·E 对三井系的东京芝浦会社有投资，又摩根系之 I · S · E 公司对日本电气会社投资达百分之四十九。又威士丁豪斯对三菱电机也有投资。

现在，日本既已在美国的片面占领和管制之下，美日独占资本变成一家亲，美帝国主义正好透过美日独占资本主义的结合，恢复日本帝国主义，使其在远东为超级的美帝国主义服务，像美帝所扶植的西德在欧洲所担任的角色一样。

何况现在美国正患资本和生产的过剩，而比较安全和容易受控制的德日两国正提供美国以理想的商品与投资市场。战后日本的廉价劳动力更为丰富，但缺乏原料与资本，美国资本家正好以其雄厚的资本和丰富的原

[1] 美国阿伦著沈志远译《战后世界与政治》五九——六〇页。

料，与日本廉价的劳动力及其过去对远东市场的经验相结合，透过日本财阀独占远东市场，而部分地缓和美国的经济危机。所以，单从经济的观点看来，扶植日本复兴正是与美国统治者华尔街财阀利益相吻合的。

## 美日独占资本的结合

新近美国独占资本家积极投资于日本工矿业，已有不少的事实报道出来。一九四八年四月间，通用电力公司的社长希罗特访问日本，视察东京芝浦会社的工场，准备助其进行改造。同月，I·S·E（国际标准电力公司）的副社长对东京电气会社也有同样的投资准备。美国某公司已与日新化学会社接洽，预备利用其和歌山一个工厂，共同成立一新公司，资本一亿元，美资占百分之五十一。日本矿业会社则与美资“合作”开发川山矿，由美输入机械设备。他如丰田汽车制造厂，三菱矿业金属，三菱电机，松尾矿业等会社都成为美国投资的对象。芦田政府更准备减低资本税，加紧遏制工运来吸引美资。

至于再武装日本，使日本军事上能成为美帝国主义侵略远东的工具和基地，在战时既为美军需工业家推销制成品，在战时又可以替美国打先锋。华尔街的战争贩子自以为得计，养肥了的日本会不会像第一次大战后的德国那样反噬，却在他们的算盘之外了。

对麦克阿瑟的管制政策有辛辣的批评的美国记者康德，在他所著的《谁在策动美国的对日政策》[1]一文中，强调地指出美国扶植日本的政策是受了日本政商界领袖的影响。他说：“自从美军占领以来，聪明伶俐的观察者就早已看出日本的领袖们有一种自存的策划，希望用手段软化战败后所受的打击，这些计划之一就是大规模招待占领军，想借此制造出一种亲善的空气，使他们的宣传能够乘机生效，这班人用献媚的方法首先解除美方的戒备，第二步再证明日本真正的敌人是苏联，日本的对美作战，只是犯了一种错误。”康德引一些事实说明日本政商界领袖怎样貌作驯服，怎样迎合美占领军的爱好，以至怎样用啤酒艺妓等等来献媚，据康德的透露，前首相重光葵自夸麦克阿瑟的政策无形中受了他的影响。重光在一九四六年秋天致友人的信中说：“麦帅说，

[1]《密勒氏评论报》，一九四七年八月二日。

他对于我们的建议愿加考虑，在他决定行动时，是否曾受到我的建议的影响，我却不得而知。但据我所知道，当盟军占领时所采用的方法，和我建议的方针相同。”

王芸生的《日本半月》一书虽没像康德的那样明言，但也暗示日本人对美占领军的恭顺逢迎，有使美国政策软化的功用。他说：“天真烂漫的美国大兵，的确给日本人迷住了，到处是九十度的鞠躬，到处是粉黛的笑脸，听见英语就是命令纶音。鲜蹦活跳的美国孩子，处在这种一呼百诺无所不从的环境里，他怎会不感到心满意足呢？”[1]

康德那些话当然不是没有理由，但是，说日本人“策动”美国对日政策，那就未免言过其实。如上所指出，策动美国扶日政策的主要还是美国独占资本自私的利益，而不是媚美的日本领袖。这种政策是在世界人民民主力量空前抬头，战后经济恐慌行将袭来的时候，美帝制霸世界政策的一部分。即使日人不是这般百依百顺，美国还是会扶植日本的。西德对美的献媚远比不上日本，而美国还是积极助它复兴，就可为明证。不过，有了日本这一套软工夫，美国自然较放心和较迅速地来推行它的扶日政策了。

---

[1] 王芸生《日本半月》第一节“暗淡险巇的前路”。

# 第四章　天皇和宪法的新装

谈起日本，少不免谈到日本天皇，在战后，天皇变做怎样呢？应该怎样处置呢？这是人们会提出的问题。

## 天皇与天皇制

关于战前的日本天皇，野坂参三（冈野进）正确地指出他担当两重的任务的：“第一，日本的封建，专制，独裁的政治制度（即天皇制度），是以天皇为核心而组成的，根据这种制度他拥有绝对的统治和独裁权，第二，天皇是神的化身，因此在人民中间起了半宗教的作用。”

天皇虽有过一千多年的长时间成为幕府将军的傀儡，然自明治“维新”以后，凭着“王权复古”和钦定的宪法，日本天皇便成为封建地主与新兴资本家结合的代表，成为这样一个独裁政权的核心。虽然天皇本人是常为财阀军阀所操纵，但他实是日本政治的最高负责者，是统治权所在的地方。依照那旧宪法的规定，“天皇为国家之元首，总揽统治权”，举凡立法，行政司法，发布命令，及规定行政官制，军制，俸给，统率陆军，宣战，媾和，订约，戒严……都是天皇的权限。陆海军大臣直接对天皇负责而不对内阁总理负责。辅弼他的元老重臣和枢密院可以决定内阁总理人选，以至倒阁。重大的事件经由天皇亲自参与的“御前会议”决定。这说明天皇确是封建，专制，独裁制度的核心，不同于君主立宪制的英王。

自称为天照大神（日神）的嫡裔（裕仁说是天照的第一百廿四代的子孙），“万世一系”的天皇，既是神裔日本民族的最高家长，也是神的化身，国教“神道教”的中心（神社所祀奉的是天皇），同时又是“八纮一宇”（即天下均隶日本版图之谓）的神命之承受者。因而，在日本人心目中，天皇不仅是日本民族的神，而且应该是全世界的神化统治者。

凭着这样特殊的地位，天皇变成日本人的肉和灵的主宰。在日本人的心目中，他就是国家的体现，就是日本。实际统治日本的独占财阀和跋扈军阀也总得在他名义之下行事。于是天皇便成为忠君狂热，穷兵黩武，君临天下的日本主义的中心。日本人为天皇而生，为天皇而死。进攻沈阳，上海，芦沟桥，珍珠港的日本兵是在天皇的名义之下作战，在塞班，硫磺和冲绳岛阵亡的日本兵在死时也还喊着“天皇万岁”。

我们这样子说，并不是故意夸大天皇的权威，而只是想说明战时天皇在日本整个帝国主义体系中的地位，因而在战后万万不能姑息，纵容，或错误地加以“利用”。

然而，战后的天皇变做怎样呢?

## 天皇的保全和优容

《波茨坦宣言》对于天皇的处置并没有具体的规定。日本请降的照会，接纳了《波茨坦宣言》，但要求附以一项谅解，即“上述宣言，并不包含任何要求有损天皇陛下为至高统治者之皇权”。当时美国的答复，则谓“按照《波茨坦宣言》，日本政府之最后形式，将依照日本人民自由表示之意愿确定之”，暗示日皇的处置将由日本人民自行决定。但同时又规定：“日本天皇必须授权并保证日本政府及日本帝国大本营能签字于必须之投降条款，俾《波茨坦宣言》之规定能获实施。”这不仅容许天皇的存在，而且宣告盟国对日的管制须通过天皇之手。

在日本投降之后，天皇是否应列为战犯，成为争论的一个问题。在投降之前，盟国人士主张严厉惩罚天皇的为数不少，即在美国，民意测验所于一九四五年八月廿一日以“战后如何对付日皇”一问题为问，答案主张处以死刑的占百分之三十三，审判和由法庭决定的占百分之十七，终身监禁的占百分之十一，放逐的占百分之九，而主张置之不理的仅占百分之四，利用为盟国统治日本傀儡的百分之三。当时美国官员对天皇并没有说过什么坏话，国务院所发表的关于日本的白皮书，且有为天皇解脱战争责任的文件。

正式投降以后，麦克阿瑟总部所宣布的战犯名单，没有天皇裕仁的名字。英方高级外交人士曾施用压力阻挠裕仁受审。但其他盟国中，澳、纽的态度有一个时期与美、英不同，一九四六年初曾传澳、纽政府所提出的日本战犯名单中也列入裕仁。苏联的态度最为明朗，苏报指控裕仁为战犯，苏检察官哥伦斯基指出天皇于一九四一年七月二日的御前会议中任主席，决定秘密进行对苏战争的军事准备，欲以裕仁作为战犯加以审讯。

至于日本人民对裕仁的态度，我们可以想像得到，经千多年的天皇迷信的麻醉，是不容易对天皇有所触犯的。但日共明白认定裕仁本人应负战争责任，应该逊位。日共曾经指出“天皇是这次侵略战争中最重要的战犯”，因为“他曾宣布战争，并领导进行战争，破坏了人民的生活，结果毁灭了日本”。松本治一所领导的“部落民”（即秽多贱氓）全国大会新近决议取消天皇制。此外，有不少的日本工人也认为裕仁应该和东条一同受审判。

## 推卸不了的战罪

只要不是健忘的人，都知道日本对英美宣战，是用裕仁的名义颁发诏书的。在八年侵华战争中，裕仁不仅在议会中促他们臣民完成侵华的目的，而且还表扬每一次的胜利。称赞珍珠港的攻击者和神风队员的是他，称誉希特勒，接见汪逆精卫的是他，鼓励和督促一切战争的努力的也是他。每一次有关侵略战争或国际阴谋的重大会议（所谓“御前会议”），少不得由裕仁任主席。对于这些阴谋或行动，天皇总是预先知道而且表示同意。这些事实已由木户、近卫等大臣的日记和战犯的供词中暴露出来。前联合舰队总司令兼军事参议官丰田副武海军上将曾被询问道：“天皇知道攻击珍珠港的计划吗？”丰田答说：“是的。所有海军计划都曾经奏请批准。”木户说，在战争过程中，天皇是日本消息最灵通的人。

然而美国既力予庇护，美国操纵的东京战犯法庭于一九四八年二月十九日发表的总控诉书竟宣布：“按照旧宪法握有政府一切权力的天皇，并不负战争责任。”其所举的理由则是：“各战犯在法庭上亦已自行证明天皇仅依其顾问之建议行事，无力反对各顾问之决定与建议。”这样子，裕仁逍遥法外已成定局了。固然，因为裕仁的战罪实不容易说脱，故一九四八年五六月间又有裕仁可能逊位以表示其对战争应负一部分责任之说，但已被盟军总部否认。[1]

## 天皇的改造，从神到人

是的，在麦克阿瑟总部方面看来，天皇的权力和威望已被削减了。麦克阿瑟所谓把天皇“改造”的工作，开始于一九四五年十二月，皇室奉命安排了裕仁第一次的“记者招待会”，以为这样子可以揭开天皇神秘的面幕。一九四六年元旦，麦克阿瑟更导演了所谓破除天皇神权的杰作。天皇颁布诏书自行宣布他并不是真正的神圣的。这个小人物说：

“我们曾……毫不畏缩地进行削除过去时代中错误领导的实施……我们与我国人民之间的纽带……并不是依据传说和神话，他们未曾被虚假的观念所预示，说天皇是神圣的，日本人优于其他种族，以及命定要统治世界……天皇不是活神。”

麦克阿瑟对于他自己导演这一出神还原为人的把

[1] 日本投降之初，东久迩宫亲王任首相时曾表示日皇裕仁可于适时的机缘逊位于太子。

戏，发表公开声明予以赞扬，但正如日共的批评："天皇否定神权的宣言，表示了由于国际情势的压迫和人民的攻击，他是被迫退让了……好像是一只章鱼在饥饿的时候吃起自己的触角来一样。"然而，麦克阿瑟这种门面功夫实在还是失败的，盟总宗教组长彭斯（W. K. Bunce）事后曾很失望地说："我们尽力告诉日本人天皇不是神圣的，但他们还是把他当作是神。"即在一九四六年七月时战犯重光葵也在巢鸭狱中写道："即使胜利的敌人也不能触犯我们的天皇陛下，他本身就是神。"有些右翼的小党在进行竞选运动时更在各地区宣扬天皇制度的"神圣"，以打击左派活动。右翼各党甚至还想组织一个维持天皇制的"联合阵线"。社会党右翼也不反对天皇制度。

麦克阿瑟总部另一桩"削除"天皇神权的"措施"就是下令废止神道教——以天皇为最高的崇拜对象的宗教——作为国教，禁止政府官员参加官方的神道教典礼。但这也只是官样文章，神宫神社依然作为"民族纪念物"而被保存着，天皇仍被准许到伊势神宫去祭拜天照大神，和到其他神宫举行其他祭典。甚至在公布"新宪法”那一天，天皇竟穿着节日的袍子，依照神道教的仪式，正式向“宫中藏有皇室祖先灵魂的三大圣殿”祭告“新宪法”的公布。首相吉田茂以下百官都参加这个典礼。这可见天皇还是以神的代表或最高祭师自居。

## 天皇与“新宪法”

以一九四六年十一月三日宣布生效的“新宪法”而论，尽管麦克阿瑟自夸为“改造”天皇的杰作的一重要部分，它实含有保持天皇制度的作用，它虽然把旧宪法的“大日本帝国由万世一系之天皇统治之”以及“天皇为国家元首，总揽统治权”的条文改作“国家的主权是在国民”，但却规定了“天皇根据日本国民的最高总意，为日本国的象征和国民统合的象征”，确保了天皇的崇高神秘和不可缺少的地位。同时，它虽然削除了“天皇神圣不可侵犯”一句话，天皇的“天”字依然保存，与削除天皇的神性的目的相反。而且，“新宪法”规定：“天皇依内阁之辅弼及同意为国民执行下列国务：一、宪法之修正，法律、政令及条约之公布，二、国会之召集，三、众议院之解散，四、众议院施行总选举之宣布，五、任免国务大臣、大使及法律所规定其他历史之批准。……”我们可以说，除了削去统率海陆空军的权力外，“新宪法”所赋予天皇的大权差不多与钦定的旧宪法没有两样。所以，美国的日本通拉蒙特（W. C. Lamont）博士批评道：“天皇从一个接续祖先的承继人的观念，转化为只是国家的象征，比起一八六八年天皇提升为国家的道德中心来，并不能算是更革命的。”又日重臣牧野伯爵曾被问起“新宪法”对天皇有什么影响，牧野答道：“没有什么，他原本是一位立宪的君主。”这话也可解释为：天皇的地位不曾因“新宪法”的颁布而有重大的变更。换一句话说，“新宪法”依然保存了封建专制的“天皇制”。

而且，日本政府仍然固执着天皇神圣的理论。日司法省宣布，“冒犯”天皇者仍将予以处罚，不因宪法“天皇为神圣不可侵犯”的条文之删除而失效。一个名叫松岛的共产党员就曾因为讽刺裕仁浪费食物，而被控“毁谤”，主控官要求判他十年监禁。一九四七年一月，众院开幕时，副议长松本治一即拒绝照旧例拜谒日皇，右派议员便闹“罢免松本”运动。一个工人在车站上见到皇太子说了一句“裕仁的儿子”而被警察逮捕，控以“藐视皇室”罪。

## 裕仁威望倒高起来

麦克阿瑟“改造”天皇的工作不限于此。他在给裕仁披上了“人”的外衣之后，还要给他披上“民主”的外衣。[1]麦克阿瑟总部除了授意裕仁不时对人民广播之外，还予以出巡东京和全国各地的充分自由，俾接近人民，装作“平民化”和关切“民生疾苦”的姿态，于是，一向被关在二重桥的深宫里的天皇便坐着汽车，跑到工厂以至农村去，假装亲切向农民工人问这个问那个。过去，皇辇过处，临街的窗帘都拉下来，现在连村妇都得与天皇对语，自然受宠若惊，增加了对天皇的敬畏与喜爱，于是投降后的天皇的威望，并没有低落，而反增高

[1] 可是，在他方面，麦克阿瑟初时召见日皇，以“你”称呼日皇，最近却以封建的名词“陛下”等称他了。

起来。[1]在选举的前夜，天皇的出巡，更助右翼政党一臂之力。日共和苏联都曾抗议反对天皇出巡的自由，但麦克阿瑟总部置之不理。

## “新宪法”的欺骗

说到日本“新宪法”其他方面，在条文上，是比明治钦定的“帝国宪法”有若干的进步，较接近于英美型的民主的。例如基本人权有了相当的保障，以众院为主的国会权限扩大了不少，贵族院改为参议院，亦由民选，首相和内阁人选须由文官充任。然而基本人权的规定仍有若干保留，私有财产受到绝对的保护，没有什么经济民主的规定。

在“新宪法”中，麦克阿瑟和他卵翼下的日本政府最自鸣得意的部分，是“放弃战争”的一章，该章规定：“日本国民诚实希求基于正义与秩序之国际和平，永久

[1] 盟国管制委员会英国代表鲍尔（W. M. Ball）说：“在我个人有一种强烈的印象，认为天皇虽然努力使他自己‘民主化’，然而在绝大多数的日人心目中，他依然是日本的政治元首和天子。我想天皇的实际政权恐怕比战前还要来得强。”（引自《太平洋季刊》一九四八年三月号）

放弃发动国权之战争与武力行使，或以武力威胁为解决国际纷争之手段，为达到此项目的，不保持陆海空军及其他战力，不承认国家之交战权。”日本一些报纸称赞这是世界宪法史上最崭新的姿态，最进步，最理想的条文。其实这是旨在骗人而又骗不了人的不通的规定。谁曾相信宪法上有这样一条规定便能够防止日本再发动侵略战争？而且，事实上，日本当局心目中并没有这一条的宪法，他们新近的言行，且连这纸上的条文也已撕破（参阅第十一章）。关于日本“新宪法”这个欺骗的规定，鲍尔说得很中肯：

“我想日本人的感想是很明了的。他们对于废止战争和武力的宣言并不重视。当作者在日本和日本的重要人物谈话，征求他们的反响时，发现在三个阶段中他们有三种答复。在一九四六年四五月间，他们的反响大半是带着畏怯和带着希望的：‘我们对于本身的安全将仰仗联合国崇高的理想。’在几个月后，那反响又改变了：‘是的，我们已经明了，我们不能保有任何的武力，因此，我们自动的宣布予以废止，想藉以获得良好的印象，那看来似是很聪明的办法。’在最后的阶段中，作者又发现他们重点的转移：‘日本在战略上是这样的重要，所以我们可仰仗美国人的保护。当然，倘使美国愿意我们来参加这种防卫的工作，那么只要我们能够得到工具，我们是很愿意这样做的。’”

让我们补足鲍尔一句，目前的阶段，他们的反响是：“我们愿意参加反共第二战场。”（芦田均语），而美国已逐渐使他们得到所需的“工具”了。

这一套民主的伪装，这样子破绽百出是无足怪的。宪法的起草工作，就不是经过民主程序的。起草工作最初由第一号战犯近卫文磨主持，近卫自杀后，由币原内阁的战争疑犯松本蒸治国务相主持，松本被黜后，再由内阁幕后人物与麦克阿瑟总部三数人员草草拟成。各界人民代表并没有参与起草工作，事先未经远东委员会的同意，麦克阿瑟就予以批准。但因为它是麦克阿瑟太上皇钦定的缘故，在议会通过的时候只有四个日共议员和一个无党无派议员反对。日共特别攻击宪法中关于天皇的规定，认为是使天皇专制政体合法化。他们誓言继续为反对这个假民主的宪法而斗争。

# 第五章 换汤不换药的战后内阁

战时日本最后一任内阁是铃木贯太郎内阁，日皇宣布投降后半月，产生了东久迩内阁。东久迩以皇族而任首相，在日本近代政治史上还是第一次，这表示日本旧支配势力想以出身皇族的人组阁来作为号召，挽回人民因战败投降而对皇室信仰的动摇，进行天皇制的输血工作。但东久迩宫亲王本身也是个军阀，又以侵华第一号战犯近卫文磨，飞机大王中岛知久平等作为内阁的支柱，根本上是军国主义内阁的延长。同时，它又不能与当时还想粉饰日本民主的麦克阿瑟的命令相配合。结果东久迩内阁仅以一个月的寿命，于一九四五年十月五日宣告崩溃了，继起组阁的是亲英美的外交老官僚币原喜重郎。

由币原内阁，经吉田，片山而到芦田内阁，到本书执笔时（一九四八年七月），芦田内阁也已岌岌可危。诚然，这四个内阁在名义上已经不是军人内阁了，而且差不多是循所谓“宪政成轨”而成立的“政党联立内阁”。然而，不管是自由党的吉田内阁，社会党的片山内阁，或民主党的芦田内阁，实都是一邱之貉，都是保守反动的政权，只是反动的程度微有不同罢了。

## 币原内阁

以币原内阁而论，它虽像是比东久迩内阁较为亲美柔顺，但即在几次改组之后，仍然是一个与军阀财阀有密切关系的反动政府，建立在过去参加了侵略战争的责任者身上。首相币原喜重郎曾任日本外相和驻美大使，同时又是三菱大财阀岩崎男爵的女婿，代表战前与美国独占资本勾结的利益。美国选中币原来做这个买办政权的头子，并不是偶然的。同时币原曾以反对军部用急进的手段侵略我东北著称，麦克阿瑟正好拿他来伪装民主和平。其实，币原本质上还是帝国主义者，与军部的差别只是手法漂亮一点而已。

可是，币原对于麦克阿瑟虽貌为恭顺，但并不忠实服从，麦氏所发的命令，币原常常以怠工或偷天换日的手法去进行。他的“政绩”就是反对修改宪法，收罗黩武分子为阁员（如松本烝治，岩田宙造，楢桥渡等），庇护财阀地主，压迫民主运动等等。这自然激起各方面的倒阁运动。

战后的第一次选举在一九四六年四月十日举行。在选举的前夜，为准备竞选，政党恢复活动了。在当时三百个左右的大小政党中，自由党，进步党，社会党，共产党，协同民主党，国民党等占了较重要的地位。这次选举的结果，旧政友会化身的右翼政党自由党成为众院第一党，另一个右翼政党、民主党化身的进步党居次，社会党的议席仅少过进步党一席，共产党破题儿第一遭获选了六名议员。选举揭晓之后，币原初图恋栈，不成，则加入进步党作总裁，企图重握政权，后来见形势不利，才于四月二十二日总辞职，又准备奏荐一鼻孔出气的自由党总裁鸠山一郎组阁。等到鸠山被麦克阿瑟总部发表为黩武分子予以整肃，币原则一面拒绝社会党的组阁要求，一面怂恿他的外相吉田茂加入自由党为首领，然后奏荐吉田为首相，自任国务相。五月十六日产生的吉田内阁大体上实是币原内阁的延长。

## 吉田内阁

在位整整一年的吉田内阁是由自由进步两党联合组成，曾一度拉社会党入阁却没有成功。吉田历任驻沈阳总领事，田中（有名的“田中奏折”的田中义一）内阁外务次官，曾出使英美，而且是丝业大资本家日本重臣牧野伯爵的女婿。日本投降以后，吉田任币原内阁的外相时，曾竭力反对修改宪法，反对解散财阀。吉田内阁的另一个支柱藏相石桥湛山，是一个参与侵略的分子，代表战后暴发户的利益，以推行通货膨胀政策，与放纵黑市资本，来制造“新圆阶级”。

比起币原内阁来，吉田内阁对于民主化阻挠的企图，更为明显而积极，除了竭力使币原内阁时代发表的以确保天皇制为中心的“新宪法”草案在第九十届议会中通过之外，它的反民主的“政绩”至少有如下几项：（一）发表维持治安的声明，禁止劳工参加生产管理；

（二）向议会提出劳动调整法，压迫劳工;（三）借口“突破粮食危机”，强迫农民“供出”——强迫征实，以剥削农民。

由于吉田内阁这种高压措施，以及石桥财政的通货膨胀政策，人民对政府的斗争极为广泛而激烈。自吉田奉命组阁那一天起，打倒吉田内阁运动一直没有间断，其间却有如下四次高潮:（一）一九四六年五月十九日东京五十万人要饭大游行;（二）同年十月的劳动攻势，有好几十万工人参加，是对于吉田禁止劳工管理生产的答复;（三）同年十二月十七日，全国各地举行的“倒阁国民大会”，单是东京参加者四十万人;（四）一九四七年二月一日日本全国政府与市政职工以及其他企业工人五百余万的总罢工的威胁（但这次罢工遭麦克阿瑟禁止了）。

吉田内阁的反民主的措施，对于美国是正合孤意，所以麦克阿瑟的政治顾问阿契逊曾称赞道:“日本的目的实际上已与美国的目的一致了。”然而，日本人民反对吉田内阁的怒潮却一次比一次更汹涌更壮阔，麦克阿瑟总部为缓和人民的反对起见，乃以客气的口吻致函吉田建议进行新的大选，以实施一九四七年五月三日生效的“新宪法”。

在选举举行之前一个月，政党的分野略有调整：进步党和自由党的芦田均派合并改称民主党。协同民主党和国民党合并，称为国民协同党。

在选举之前夜，麦克阿瑟公开警告日本人民，不要选举左派人物。政田又府会向国会提出一个对于反动政党有利的选举法改正案，实行所谓“中选举制”——缩小选区的范围，并限制加入选举名单的议员数目，以打击社、共两党。同时，大资本家，尤其是因投机和供应美国占领军而发财的“新富户”，都以数千万日圆供给反动的自由党与民主党，作选举运动的费用。[1]

由于麦克阿瑟对选举干涉，不许投左派的票，而人民对于自由民主两保守政党的失望，弃权率达三成以上，选举之不自由，由此也可看出。

众议员和参议员选举的结果表列如下：

[1] 新近发现，在此次选举前夜，日建筑商人饭田精太经手，向自由民主两党“献金”各一百五十万圆，向社会党之西尾末广“献金”五十万圆。

| 党名 | 众议员席数（上届席数） | 参议员席数 |
| --- | --- | --- |
| 社会党 | 143（98） | 47 |
| 自由党 | 133（140） | 44 |
| 民主党 | 126（145） | 42 |
| 国民协同党 | 31（74） | 10 |
| 共产党 | 4（6） | 4 |
| 小党派 | 16 | 4 |
| 无所属 | 13 | 92 |

由于中下层人民和知识分子的左倾，以及共产党对于社会党的相当支持，社会党在众院中跃为第一党，它的领袖松冈驹吉被选为议长。在参院，所谓无党派的议员，实是由老官僚，反动教授，贵族，前贵族议员组成。连自由，民主两右翼政党合计，在一百五十名以上，占参议员全体过半数，故参院是反动势力的天下。

即在众议院，社会党的一百四十四席，还是占全体四百六十六席的少数。反之自由、民主两个反动政党的议席合计却近二百六十席，可以操纵众院。所以，一般的说来，反动阵营在这次选举中还是没有失败，而社会党的抬头，又使美方可以振振有词的炫称日本的“民主化”，所以麦克阿瑟对选举的结果深表满意。

## 片山内阁

按照所谓“宪政成轨”，社会党是有资格组阁的，但它在议会的议席数不容许它组织一党内阁，独揽政权，所以社会党中执会委员长片山哲虽被推为首相候选人，他只得提议由社会党，民主党，自由党，及国民协同党四党组织联合内阁。为获得其他三党合作，社会党右翼甚至愿意订立四党政策协定，答应不让该党的左翼入阁，以及在重大的政策问题上先征求三党的同意。可是，吉田所领导的自由党为着觊觎下届政权，宁愿保持反对派的地位，它要求社会党肃清一切左翼分子，社会党又做不到，它便拒绝加入政府。于是，两院几乎全体一致选出的片山首相，只得放弃与自由党合作。社会党，民主党与国民协同党联合组成的片山新政府于一九四七年六月一日成立。民主党的新总裁芦田均占了副首相和外相的要位，内相和藏相也落于民主党之手，社会党自己占得七个阁员，都是右翼分子。所以，在人选上，片山内阁也不见得比吉田内阁进步多少，在政策上，片山内阁一开头就已向反动势力低头。它与币原和吉田内阁不同的地方，只是它的“民主”的外衣上绣上一枝“社会主义”的花朵。然而，在就任的第二天，片山发表的向全日本国民广播演说，就表现出他的所谓“社会主义”是怎样一回事了。片山说：

“新内阁不偏极右极左，而将取中庸之道。对共产党已绝缘。唯欲努力确立国民之幸福生活，尽力于建设文化的国家。至于实现‘新宪法’之条文，则为脱却封建的军阀主义的精神，而必须实行精神革命。又为克服经济危机，食粮困难，而突破日本当面之危机，希望国民复兴产业，协力再建祖国。更希望劳动大众抑制其欲望。最近余将以公正之目的及手段，尽力劳动者酬报态势，唯暂时仍希望勤劳大众，抱牺牲精神，忍耐一切。”

这即是说，片山内阁所走的仍然是反共的所谓“中庸之道”的路线（反动的路线），他的“社会主义”就是要求工人和一般国民束紧肚带。

社会党在竞选的当时，曾开出反通货膨胀，扑灭黑市，控制经济金融，给予农民利益，保障劳工生活等政治支票，都没有兑现。通货膨胀，黑市猖獗如故，物价更加飞涨，片山倒要规定一千八百圆为最高工资和薪金，纵然最低的生活费实数倍于这个数目。土地的改革迄没有真正触及，强迫农民献粮的做法也没有取消，农相平野力三更进行分裂农民团体。即使片山内阁自夸为社会主义性改革的“煤矿国家管理法案”及“经济力集中排除法案”，实际上原是极温情的措施，并经内阁通过，但在自由党及民主党阁员的反对与攻击之下，也不敢积极推动。结果，片山内阁左右都不讨好，左翼人民及一般工农，已对它不满和失望，极右翼的旧势力还嫌它反动得不够彻底。平野农相的辞职和被驱逐出党还不能怎样缓和工人的不满。在极右派方面，以吉田、币原为首，策动保守政党的大联合，力谋推翻片山内阁。甚至身为外相的芦田均也表示：“片山内阁已失去国民之信仰，处于不得不让出政府之时。”这说明三党联合内阁内部露出分化之象。同时，社会党内部左右的斗争不曾因平野力三的脱党而解消。在一九四八年一月十六日举行的社会党代表大会上左翼占了多数，大会在左翼压力之下，通过了取消四党政策协定的决议，要求钢铁及银行国营，停止战时公债付息，但仍不能改变该党的右倾的政策。可是，再过一月，片山内阁终于以邮电火车加价问题为导火线而坍台。片山内阁为填补预算赤字，提出二十七亿圆的追加预算，由邮电火车加价来筹出。社会党左翼认为这种变相征税，加重了大众的负担，坚决反对，但民主党、国民协同党和以片山为首的社会党右翼，执着维持原案。社会党左翼有议员数十余人，该党右翼不愿因此争执而造成分裂。加上吉田与平野等党派的倒阁运动声势强大，议会的难关不易突破，片山内阁又不敢解散议会重新选举，便不得不于二月十一日提出总辞职。

## 芦田内阁

片山内阁塌台以后，吉田所领导的自由党号召联络各小党派，颇有组织新内阁的雄心，但在麦克阿瑟看来，正在工潮澎湃，社会党群众向左倾之时，吉田右得太过露骨，上台怕会激发工潮。芦田均在外相任内，把麦克阿瑟奉承得不错，在麦眼中，正是所谓“中道而行”的人物。他早与社会党右派西尾末广，水谷长三郎等勾结，成立了瓜分政权的谅解，可获得他们的支持。同时，芦田通过大承造商菅原通斋关系，筹得数千万日圆，收买小党派和其本党的脱党分子，终于一九四八年二月二十一日在众议院表决时压倒自由党，而夺得首相一席，偿其夙愿了。

在战争时期，芦田均是英文《日本时报》的社长兼主笔，在这个报纸上，曾经有系统地登载他的鼓吹圣战的军国主义论文。他同时是东条政府情报局的顾问，这个机关对于战争和狭隘的爱国主义的宣传曾起过重要作用。因为是法西斯的“大政翼赞会”的积极分子，芦田在一九四二年初曾被该会及东条推荐为国会议员。芦田的侵略和反民主的思想并不曾因日本投降而改变。在片山内阁的副首相兼外相内，芦田在对外方面曾公开声明日本希望收回琉球等岛屿，和在台湾取得“特殊移民权”。在内政方面，他曾大声疾呼反共，坚决反对实行任何社会主义政策。所以，以芦田为首相的内阁决不会比片山内阁较左，而只会较右。

芦田最初虽有组织民主，自由，社会和国民协同四党联合内阁之意，但吉田要争取领导权，拒绝参加芦田内阁，结果，芦田内阁还是片山内阁的老搭档——民主，社会，国民协同三党的联合。

在阁员的分配上，社会党比民主党还多，国民协同党仅占两个配角的位置，可表列如下：

首相兼外相　芦田均（民主党）

副首相　西尾末广（社会党）

藏相　北村德太郎（民主党）

法相　铃木义雄（社会党）

文相　森户辰男（社会党）

商工相　水谷长三郎（社会党）

农林相　永江一夫（社会党）

递信相　富吉荣二（社会党）

运输相　冈田势一（国民协同党）

厚生相　竹田义一（民主党）

劳动相　加藤勘十（社会党）

国务大臣兼经济安定部长　栗栖赳夫（民主党）

国务大臣兼内阁书记官长　苫米地义三（民主党）

国务大臣　一松定吉（民主党）

国务大臣　野沟胜（社会党）

国务大臣　船田享二（国民协同党）

在这些阁员中，芦田本人，栗栖，一松，西尾，森户，水谷，铃木等都是片山内阁的旧人，不是投机官僚，便是社会法西斯主义者。从这点看来，芦田内阁可以说是片山内阁的延长。然芦田内阁与它的前任有一个表面上不同的地方，就是社会党“左派”和接近“左派”的人物却也点缀在芦田内阁之中。

坚决反对社会主义化的芦田之所以作一百八十度角的转变，敢于“吞进社会党左派”是有他的作用的。片山内阁的坍台，是由于党内的左派相当地反映出劳动人民的要求，提出若干近于社会主义化的政策，造成党内的对立。芦田内阁当前的任务在于如何接受美国援助，加速重建日本工业，但这必须劳动者的“合作”。为敷衍或欺骗劳动者，教他们为复兴日本资本主义服务，日统治者就必须利用那对劳动者有相当影响的社会党左派力量。而且，美国和日本反动派最害怕民主人民统一阵线的结成，芦田把社会党左派拉进内阁去，成为与党，就可以杜绝这个统一战线的结成运动。这自也为麦克阿瑟总部所赞许的。社会党“左派”加藤勘十原与民主党总干事苫米地义三有勾结，芦田获选组阁后，加藤等假惺惺地以停止军事公债付息，普通银行收归国营，实行第三次土地改革为条件，获得芦田的“谅解”，便欣然入阁为大臣了。

然而，芦田上台未久，狞狰的面目便毕露。芦田在就职后对议会第一次演说，便宣告对鼓动劳工争议的活动将采坚决步骤，其后甚至扬言应把劳工法律作“类似美国塔虎脱·哈特莱法案”的修正，“以资吸引外国资本”。他又宣告，在这个危机时期言论自由的行使必须“有所限制”。到了新近，芦田对于停止军事公债付息的诺言也差不多要违背了（结果是延付一年），这种“过河拆桥”的做法，使社会党“左派”在劳动人民中丧失威望，陷加藤勘十于窘境。最近，民主党脱党的愈来愈多，吉田，币原和平野力三等的保守新党的大联合，推翻芦田内阁运动高唱入云，而副首相西尾末广非法接受政治基金五十万圆案被发现，更给反对者以攻击的把柄，芦田内阁辞职之说甚嚣尘上。一九四八年六月十八日左派群众在东京大开打倒芦田内阁大会。芦田政府于七月三十一日发出禁止公务员罢工命令以后，全国劳工掀起反抗的怒潮。芦田内阁又开始碰到吉田内阁的命运了。

不过，日本内阁的命运还是握在麦克阿瑟总部的手上，芦田的上台本来是因为他获得麦帅的欢心，为之撑腰。上台之初，吉田曾标榜“护宪”抨击芦田，这即是说他认为依照“宪政常轨”，片山联合内阁辞职后，内阁一分子的民主党也应联带负责，不能继组新阁，而应由反对党的自由党起来组阁，片山到芦田的政权是“私相授受”，违背宪法。可是，麦克阿瑟总部即为芦田辩护，认为芦田当选首相“完全合乎宪法的规定”，“护宪运动”的声浪只得平息下去。现在，芦田内阁既以“导入外资”（美资）为中心任务，予美资的控制以种种方便（如减少公司课税，取消红利限制，修正劳工法律等），在美方看来，正是先意承志，百依百顺，除非万不得已，美方是不会让这样听话的买办政权坍台的。（在本书校样时，成立将近七个月的芦田内阁终于总辞职了。）

无论怎样，投降以后，日本的五代内阁，依然是一邱之貉，依然是旧的反动势力的政权，人物虽有调换，本质上并无差别。而且，不独最上层的执政者是旧家伙，整个官僚机构也没有什么重大的变动，这由政治“整肃”工作之极不彻底，也可证明。

为执行肃清对侵略应负责任分子于政治机构之外的工作，日本于一九四六年一月曾有中央整肃委员会之设，但该委员会工作并不努力，有时却被利用来作为排除异己的工具。[1]到了一九四八年三月，日本政府宣告政治整肃结束，取消整肃委员会的声明，说共铲除了特务，军警，教育界和公务员的不良分子二十万六千八百六十一人。但事实上，所有中央和地方的国家机关至今仍充满了狭隘爱国主义分子，被清除的不良分子多是一些次要人物。许多最著名的日本军阀主义的代表并未受到整肃。例如以芦田内阁的阁僚而论，至少有芦田，西尾，一松，北村，森户，永江，竹田七个大臣，根据他们过去为军阀作帮凶的行为，都是些应受肃清的大人物，而迄今对实际政治仍然保持他们的影响。据《时局情报》一九四八年一月号载称，前自由党总裁，著名的反动分子鸠山一郎，虽然因为苏联代表在盟国管制委员

[1] 一九四七年四月选举前夕，自由党所把持的中央整肃委员会，为打击民主党，“追放”了该党的中心领袖犬养健，楢桥渡，石黑武重等多名。

会的要求已被整肃，但迄今仍继续在幕后影响自由党的政策。一度被“追放”的反动分子犬养健和楢桥渡仍然是芦田的民主党的秘密领袖。被整肃的鹤见佑辅在美国备受优待，到处发表演说。还有，已告解散的整肃委员会又于一九四八年五月向盟总提呈名单，请求将名单内所列前被整肃的官员前藏相石桥湛三，以及上述之犬养健，楢桥渡等二百五十一人准复公职，结果，楢桥和蜡和政道等一百二十九名获准取消追放。其后犬养健也获准在整肃的单子上除名。正如芝加哥《太阳报》所指出：“我们追求这些新目的，就允许了日本保守分子控制国会，政府和各政党……我们自觉地让日本政府把我们的整肃会变为一幕滑稽剧。”由这种种事实，我们更可以看到，战后日本政治机构在人事上的改变，连换汤不换药也谈不上了，再把战后日本政党的分野和离合变化加以检视，这个判断当得到更强有力的证据。

# 第六章　挂羊头卖狗肉的政党

说到战后日本的政党，除了由地下转为合法公开的共产党外，不管党的名称怎样变换，党的领袖怎样更动，至多也只是新瓶装旧酒，本质上没有怎样跟战前不同。

关于共产党，我们留待第十二章再说，现有的民主、民主自由、社会、国民协同四个较大的政党以及一些小党派的演变和本质，我们应在这里论述一下。

在日本投降的时候，议会中，法西斯型的“大日本政治会”已经解散了，还有一个名为“翼壮议员同志会”的小团体也解散了。在投降之后，日本已经没有一个御用的政党或官制的结社，政治一时成了真空状态。但是再过两个月，美国占领就绪以后，为适应美国式的民主，日本各式各样的政客便以旧属“大日本政治会”和“翼壮议员同志会”的议会势力为中心，采取“旧政党”的路线，纷纷组织新党。最初成立的是社会党，自由党，进步党，协同民主党等全国性的政党。事隔两年多，这些政党已经有不少的嬗变了。

## 芦田的民主党

现在当权极右派之一的民主党，前身原是进步党，而进步党的骨干则由太平洋战争前民政党町田忠治派，前政友会中岛知久平派，及自称少壮派的犬养健等所组成，成立于一九四五年十一月十六日，“进步”其名，反动其实。战前的民政党本就是代表大资产阶级大地主的政党，与大财阀三菱关系特别密切。町田是投降于法西斯军阀的老政客，中岛是有名的飞机大王，犬养健（被刺死的首相犬养毅的儿子）是近卫的亲信，曾任汪逆伪政府的经济顾问。该党的分子多属大日本政治会的各式各样的活动人物。最初的总裁是町田，后为应付麦克阿瑟，改拥三菱的女婿币原喜重郎。民政党的顽固老议员斋藤隆夫也是该党的重要领袖之一。“绝对拥护天皇制”是该党政纲的中心。到了一九四七年三月时，自由党内的芦田均楢桥渡为首的一派，因为主张与社会党合作（利用社会党）不为党魁吉田所采纳，脱离了自由党。同时，进步党内犬养健所领导的少壮分子不满意于币原斋藤等顽固派对社会党采取与吉田同样的态度，要求解散进步党，厉行革新。于是，他们与芦田派合流，再纠合了一些国民协同党和无党无派分子而成立民主党。芦田均旋代币原任总裁，币原改任名誉总裁。然而，"民主党"实际上仍是反民主，所谓革新止于改头换面。新政纲依然坚决拥护天皇制，极力保全地主利益；与自由党稍不同的，只是在经济方面由主张自由经济转变为"必要的统制"——官僚统制，以及在政治上极力假装亲近社会党，利用社会党作为一种工具，以便为独占资本建立坚实的基础。正如日本《赤旗报》所指出："就这种意味来说，民主党就比自由党对人民更加危险得多了。"

杂凑而成的民主党，在一九四七年四月大选的前夜跃居议会的第一党，但仍收买选民的心，加以犬养、楢桥等遭整肃，挫折很大，选举结果，反退居社会党和自由党之次。然而芦田均却向社会党送秋波，助成了片山登台，而民主党亦入阁成为与党。到了片山内阁坍台，芦田玩弄社会党左派得手，起而组阁之后，民主党便面临着内部分裂。在芦田上台之前，币原旗下议员二十余名已脱离民主党自成一派。上台之后，田中逸万，斋藤隆夫等“顽固的太阳会”分子，或借口不满于芦田的“左倾”，或为自由党所吸引，先后脱党，于是民主党所属的众议员由最近一次大选后的一百二十六名减至八十四名，残余的太阳会分子也与吉田有勾结，民主党声势大大的削弱了。民主党既面临着吉田策动的保守新党大攻势的外患，而又有此内忧，这是民主党政权摇摇欲坠的一个原因。最近芦田为厚集自己的力量，谋纠合民主国民协同党和社会党右派组织“中央新党”，但没有成功。

## 民主自由党

目前日本议会第一党的位置，已由社会党让给吉田为首的保守新党——民主自由党。这一极右派政党前身的自由党，原是以战前政友会鸠山一郎派为骨干，于一九四五年十一月九日组成。这个党虽始终披上“自由主义”的外衣，但实际上是极反动的大地主，财阀和官僚政党。在战前，他的前身政友会是与三井大财阀关系较为密切，在战后则与所谓“新圆”阶级，黑市操纵者结不解缘。以领袖而论，初任总裁的鸠山一郎原是法西斯臭味很浓的人物，曾任田中义一内阁的文相，极力钳制思想，又曾于游欧之后著书《世界的面貌》，讴歌希特勒和墨索里尼。鸠山被整肃后，继任总裁的吉田茂的反动也不减于鸠山，所不同的，就是吉田是一个较为圆滑的外交官僚，很有当美国买办的资格。以政治主张而论，它高揭“保国体，维持天皇制”，“保护个人财产”，“发展传统的家族制度”等政治口号；在经济政策上则标榜自由经济，极力阻挠土地改革和坚持实物佃租制。其后，该党修改的新政纲更明白揭橥反共和亲美的路线。

在战后第一次大选后，自由党跃为议会第一大党，吉田遂坐上首相的交椅，然第二次大选之后在众院却降为第二党，在参院则居首位。自芦田，楢桥等“革新派”脱党之后，自由党削弱了，与民主党的矛盾亦加深。片山三党内阁成立之后，吉田联络民主党的币原派攻击片山内阁和芦田。到了片山内阁末期，以反对石炭国家管理案为契机，吉田等又策动联合各党的极端保守派，以自由党为中心，组织一个新的大保守党，以压倒社会党，降服民主党内的少壮派，对抗民主阵线。当时币原派，参议院松平恒雄领导的“绿风会”（代表宫廷贵族势力）及宇垣一成，若槻礼次郎等老顽固分子，佐藤尚武等老外交官僚也予以支持。到了芦田内阁上台之后，吉田为着拆芦田的台，加紧拉拢反芦田的分子。于是，在芦田内阁成立第五天，吉田的新党便匆匆成立了，改名做民主自由党。吉田仍任总裁，币原则担任最高顾问。在议会中凑成的分子有斋藤派议员三十五人，加上临时从民主党，社会党，无所属议员的“第一议员俱乐部”各拉来一名，合上自由党本身的基本队伍，一共一百五十二人，虽未能超过众议院的半数，但已成第一大党。他的“新”政纲，也不外是增加生产，振兴贸易，导入外资，发展文教以及倡导所谓“从过去军阀的自给自足经济走向和平的通商经济”等等，并不见得有甚特殊的地方。不过，民主自由党在众院的席位已经差不多等于民主党的一倍，它还四处拉人加入，民主党和社会党内部如再行分裂，民自党这个反对党与在朝三党在议会中达到势力的平衡，也不是没有可能。

## 社会党

自诩为介于极右翼资产阶级政党和极左的共产党之间的社会党，其实连中间偏右也还谈不上；它的名字“社会党”是要沾社会主义的光，但实际上并没有什么社会主义的气息，甚至比西方的社会民主主义，也有不如的地方。一句话，它只是日本独占资本家欺骗小资产阶级和劳工的一种工具。

社会党脱胎于战前的社会大众党，而社大党则由过去麻生久，河野密，龟井贯一郎等领导的社会民众党与安部矶雄，片山哲，松冈驹吉等领导的日本劳农党合并而成。社大党仅属所谓议会主义的改良主义者，时常与大资本家妥协而出卖工农，党员中不少且为社会法西斯分子。对华侵略战争发动后，社大党原形毕露，曾发表“转向声明”，积极支持侵略。其后，麻生、河野一派，且与军阀勾结，并追随近卫之后，投身于大政翼赞运动。即安部、片山一系，亦高喊“举国一致”，“拥护国体”。

社大党的纪录如此，它的化身自然也不会左到那儿去。

一九四五年十一月二日社会党组成时，虽加入了旧无产党（包含劳动农民党）的加藤勘十，铃木茂三郎等左派分子，以及农会的左翼领导者黑田寿男等，但同时也由右派方面吸收来“日本国家社会党”,“皇道会”（平野力三任领袖）等成分，而且党的大权始终握在右翼的片山哲，西尾末广，松冈驹吉，平野力三等人的手里。麻生，河野等虽被整肃，属于该系的“大政翼赞”分子仍活动异常。以该党委员长片山哲和实际上领导一切的西尾末广本人而论，过去的纪录并不干净。在新近平野力三被追放时，平野就唆使他的喽啰反噬，缕举片山和西尾在战时如何赞成总动员法，以及协助“产业报国运动”等等，认为他们也应该追放。

以党的基本政纲来说，社会党的纲领如次：“一、本党作为国民勤劳阶层的结合体，争取国民政治的自由，而期民主主义体制的确立。二、本党排除资本主义，断行社会主义，而期国民生活的安定与向上。三、本党反对一切军国主义的思想及行动，借世界各国民的协力，而期恒久和平的实现。”然而在事实上，社会党并不是代表“勤劳阶层”——工人阶级——利益的政党，而毋宁是小资产阶级的“结合体”。今天社会党在企业内，特别是工场内的组织并不强。它的社会的基础除了劳动贵族之外，已渐移向小市民，中小企业家和公务员方面，由该党所属的国会议员的阶层区别即可征见。[1]至于“民主”“自由”等字眼，实与社会党联接不上。目前社会党的干部中还没有一个人配称为彻底的共和主义者。他们借口顾虑国民的感情，而回避对天皇制的斗争，甚至公然拥护提出“天皇制度下的社会主义”的口号。至于“排除资本主义”,“断行社会主义”更是空话。他们实际上进行牺牲劳动者权益的“劳资协调”，反对以农民为本位的彻底的土地改革。即其所标榜的重要产业和银行国有，也只是把这些事业交给天皇制度下的官僚机构来管理而已。政纲第三项之“反对一切军国主义的思想与行动”，话是说得好听，但在该党占中心地位的，正是一些漏网的旧战犯。社会党像西方的社会民主

[1] 据日本《自由国民》杂志十二号（一九四八年六月十日）神山茂夫所著“日本社会党论”一文，社会党议员职业出身分别如下：社长董事三七，工会职员一六，农会职员一五，自由职业者和公司职员三四，公共团体职员二八，党职员九，官吏二。

党一样是合法的议会主义者，但同时是君主主义和军国主义者，这是日本社会民主主义者比西方社会民主主义者还不如的地方。

社会党对于政权——或不如说对于大臣的椅子——是热中的，为着组阁，社会党不惜与反动的极右翼政党订立所谓“四党政策协定”，为着贪恋大臣的椅子，不惜在议会投芦田的票。

## 社会党的左派

是的，社会党有左右派之分，但“左派”并不见得真正的左。左派的领袖除了职工运动“老将”加藤勘十和经济理论家铃木茂三郎之外，还有“社会主义者”荒畑寒村，农民运动家黑田寿男等，但最有影响的还是加藤与铃木两人。在战前，日本无产党时代，加藤，铃木等也曾倡导过人民战线运动，从事过反军事法西斯的政治斗争。在战后，他们所倡的调子也比片山，西尾等为高。例如右派露骨地主张和实践劳资协调，而左派则表面反对，并赞同罢工斗争。在日本投降之初，左派也曾跟共产党接近，商组人民联合战线。但是事实上，左派的理论既缺乏明确性，在行动上，是向右派降服。正如荒畑寒村的自白，社会党仍为“右派干部的党”，左派的比较漂亮的言论仅替实际上为大资本服务的社会党遮掩其丑恶而哄骗劳工而已。

在社会党中，左派诚然有相当的势力，它在下院占有五六十个议席。然而，随着他们的领袖的真面目之逐渐暴露，他们在群众中的声望逐渐削弱。一九四七年五月中片山登台之前夜，右派社会党领袖加藤和铃木为着拉拢自由、民主两党入阁合作，竟发表了在组织与思想上与共产党绝缘的宣言，向反动派表白一番。这个宣言，曾引起社会党工农党员的愤怒与抗议。片山登台之后，社会党的领导人向右转，党内工人阶级的党员却走向左倾，许多下级干部加入了共产党。为迎合工人这种倾向，在一九四八年一月的社会党代表大会里，看风转舵的左派曾提出取消四党协定，停止偿还战争公债的决议，而经大多数通过，继因左派拥野沟胜任农相遭拒绝，左右两派表面形成对立。片山辞职与芦田上台之间的一段时间，左派以本身在议会握有举足轻重的位置，初则高抬身价，公开宣布为“党内的在野派”，继则放出钩子，认为只要政策协定能一致，未尝不可以谈谈与民主派的合作。但是右派坚持政策协定与投票选举分两事，要求左派服从党的决议，举芦田任首相。左派初则提出片山第二次组阁的意见，终也接受了右派的意见，投芦田的票。但是投票时也有十五名左派议员没有服从决议，而左派中的左派（被称为“纯正左派”）大将农会领导者黑田寿男则称病缺席。向党内右派和民主党投降的结果，加藤和野沟都坐了大臣的椅子，但铃木仍踌躇未敢落水。一九四八年七月三日众院表决大预算时黑田等所领导的纯正左派议员十一人投反对票，该党右派干部便将黑田等六名开除党籍，跟着左派议员石野久男等十人同情黑田而脱党，社会党便陷于大分裂，益见削弱。七月底芦田政府借词奉麦克阿瑟的命令，拟订新公务员法，不许公务员罢工，片山已赞同，劳相加藤陷于尴尬的地位。

## 国民协同党

另一个“中间”性的政党“国民协同党”，比社会党更是偏右。国民协同党的前身是“国民党”和“协同民主党”，于一九四七年四月选举之前合并而成。总裁是三木武夫，是曾经在美国念书的商人。其他的领袖还有千石兴太郎，德川义亲，船田中等。该党的基础是农业合作社，构成它的社会阶层是中小资本家，中小地主，失意官僚和落后的知识分子。它的基本纲领是“根据协同组合（合作社）主义，建设民主的新日本”。它宣传“资本主义与社会主义的结合”，活现出它的小资产阶级政党的幻想。

在未合并之前，国民党和民主协同党在众议院中共占七十四席，合并之后，经过一九四七年四月的选举减至三十一席。但是，它还算是第四党，社会党或民主党组阁时，还需要它凑凑数，所以它也分得一两个大臣的位子。这个党基本上是反共右倾，为作官而投机。所以，自由党的前干事长大野伴睦曾嘲笑国协党魁三木，说他一辈子都主张“举国内阁”论，只有如此，小党派才能分得一杯汤渴渴，弄个一官半职。不过，在芦田内阁上台之前，该党的早川派议员已脱党转投入平野力三的新党去，国协党仅剩了二十九名议员，在广大小资产阶级当中的影响也大为削弱。在将来，国协党势将逐渐解消，而给民主和民自两党所吸收。

## 其他小党

至于其他的小党派，较可注意的是原属社会党平野力三所组织的革新社会党（一九四八年三月二十日成立）。右翼的农会领导者平野，原是战时法西斯组织“大政翼赞会”头子之一。在片山内阁农相任内，平野以分裂农工运动，延迟土地改革为事，特别激起社会党内工农党员的责难。为着把社会党政府的罪过一古脑儿都推在平野身上，他的死对头西尾迫使他辞职。于是平野初则向吉田暗送秋波，继则独树一帜，组成了革新社会党，在下议院中占有十六席。据说平野为着设法免于追放，不仅花钱活动，而且还用过美人计。像芦田一样，平野的新党也向暴发的建筑承造商找后台。

在参院中，还有一个“绿风会”的组织，值得一提。这一个会说是由“无党无派”议员组成，但实是老官僚，反动教授，贵族，前贵族院议员的极右翼的结合。该会的首领是与天皇家族有关系的松平恒雄。松平曾任宫内大臣，出使过英美，现任参议院议长。该会分子与吉田的保守新党接近。

## 战后政党的几个特征

基于上头简单的论述，关于战后日本共产党以外的各个政党，我们可得出如下的结论：

一、在战后日本政治舞台上，虽出现了许多式样不同的政党，但本质上还是天皇制之下日本型的特殊独占资本御用的政治工具，彼此不同的地方只是分工上的不同，扮相上的不同而已。

二、比起战前（大政翼赞会以前）的旧政党来，今日的政党是经过相当的“再编成”的，党名也换过，但在实质上，基本的社会构成上，与“政友”,“民政”,“社会大众”等党没有多大的差别。这因为日本的社会经济结构和统治基础并没有因日本投降和美军之占领而起基本的变化，今日的政党与战前不同的地方，只是多了一重买办性罢了。

三、这些政党并不是群众的政党，而是主要以议会为舞台。党的力量不建立于议员质量的发展，而钉在议员的数字上，因而议员的强引拉抢成为政党的活动中心。议员既是奇货可居的政治本钱，便飘摇不定，朝秦暮楚。尤其民主党与自由党间，双方主脑人物也随时转来转去（如芦田均之由前自由党转入民主党为总裁，币原、斋藤之转入民主自由党）。

四、战后日本搞政党的人，都不是什么新人，而是战前日本的职业政客。他们的纪录差不多没有一个是干净的，不是大政翼赞会好汉，便是“圣战”的讴歌者。战后摇身一变，变得成功的成为“民主战士”，坐上大臣的椅子，变得失败的便被整肃或收监。因为是由职业政客构成，党内的小组织也特别多。会与会，派与派的小组织之间，也是成员穿来穿去，飘忽无定。

五、战前和战后的日本政党都像其他资本主义国家的资产阶级政党一样，接受资本家津贴，敲竹杠和分赃。但在战后，既有庞大的隐蔽军用物资，又有无数的暴发黑市商和建筑承造商，生财之道更容易，没有那一个反动政党的领袖不从这些地方接受所谓“不当财”。所以，今日日本更谈不上政治道德了。

## 资产阶级政党分立的原因

最后有一个问题，须稍加剖析的，即是民主与民主自由两党既然同是反动的资产阶级政党，为什么不统一起来而各自分立呢?

两党之迄今还不能合流，诚然与芦田和吉田两党魁的政权欲之强及彼此个人间的恩怨有关，但更重要的原因却由于如下两点：一、民主与民主自由两党虽同是代表资产阶级，但所代表该阶级的阶层仍各有不同。民主党是以产业资本家和中小工商业者的上层为骨干，而民主自由党则比较上以地主势力以及新兴的黑市资本为主，前者比较狡狯圆滑，后者则比较死硬；前者倾向于“修正资本主义”，实施官僚的统制，以及与工会和“社会主义”政党“合作”，从而利用之，后者则或多或少反对这种做法。这种阶层和倾向上的差别，使保守政党还合拢不来。二、日本的无产阶级的全体还不十分统一，工会组织和政党都分裂为社会民主主义与共产主义的两个阵营，全国统一战线还未能建立，无产阶级的分裂和不够十分强大，使保守势力亦认为无统一的必要。

# 第七章　战犯与东京法庭的滑稽剧

《波茨坦宣言》的第十条明明写着：“吾人无意奴役日本民族或消灭其国家，但对于战罪人犯，包括虐待吾人俘虏者在内，将处以法律的制裁。”血债要用血来偿，特别是受了日本六七十年侵略，八年来给日寇滥炸，屠杀，死亡了几千万生命的我国人民，是有理由和权利要求尽法严惩日本的战罪人犯，来清偿这笔民族血债的。

然而，日寇投降三年来，在美国的宽大政策之下，这笔血债偿了多少，日本战犯有多少被惩治？让我们先看看东京的国际战犯法庭的滑稽剧。

## 战犯逮捕的迟缓

麦克阿瑟率军进驻日本后，于一九四五年九月十二日开始逮捕了东条英机和他的全体阁员，前驻菲大使村田省藏，前攻打巴丹半岛日军司令本间雅晴中将等三十九名战犯。这以后直至十一月中，差不多两个月的期间，麦克阿瑟总部对于战犯的逮捕，并不起劲，这期间只逮捕了“马来之虎”山下奉文，侵华巨魁土肥原贤二，法西斯主义团体大日本青年党党魁和炮轰美舰“潘纳”号凶手桥本欣五郎，前首相阿部信行及前内相安倍源基等若干名，但近卫，平沼，木户，荒木等大批侵略巨魁，虽已遭舆论指责，仍然逍遥法外，近卫且任铃木内阁的国务相，负责草拟“新宪法”，并且实际上操纵了铃木和东久迩内阁。到了十一月十七日和十二月一日才逮捕了荒木，小矶国昭（前关东军参谋长，朝鲜总督，并曾继东条任首相），南次郎（前陆相，朝鲜总督，大日本政治会总裁），真崎甚三郎（前台湾军司令官，陆军教育总监，法西斯少壮军人领袖），松井石根（右翼团体大亚细亚协会创立者，侵华华中军总司令，南京大屠杀首犯），松冈洋右（前满铁总裁，外相，亲德外交家），白鸟敏夫（前驻义大使，“革新派”领袖），梨本宫守正亲王（陆军元帅，皇室最重要的主持人），平沼骐一郎

（前枢密院长，首相，老牌法西斯领袖），广田弘毅（前外相，首相，亲军阀的官僚），丰田副武（太平洋战争中联合舰队司令），小林跻造（前联合舰队司令，台湾总督，翼赞政治会会长），畑俊六（前侵华军总司令），西尾寿造（前侵华军总司令），多田骏（前侵华华北军司令），后宫淳（前侵华华南军司令，侵华军总参谋长），池田成彬（三井财阀的代表，前藏相），鲇川义介（前满洲重工业开发会社总裁，满洲大财阀），中岛知久本（飞机大王），谷正之（前外相，驻"满"大使），天羽英二（前内阁情报局总裁），古野伊之助（前同盟通讯社社长），德富苏峰（军部喉舌老记者），大川周明（前满铁东亚经济局理事长，法西斯团体领袖）等共七十名。到了十二月六日，近卫和木户幸一（前内大臣，日皇的亲信重臣），也列入战犯名单，然而近卫却于十二月十五日投狱限期前一天自杀殒命了。近卫这一着不仅是自己畏罪，想逃避战犯法庭的裁判，而且是为犯罪的天皇和整个日本统治阶层灭口。侵华祸首近卫之不能明正典刑，迟迟始下令逮捕他的盟总应负其责。

# 二十八名头号战犯

其后续有检举和逮捕。到了一九四六年一月十九日麦克阿瑟发表了关于设立远东国际军事法庭的特别宣言，并公布“远东国际军事法庭条例”，组织远东军事法庭，审判日本侵略战争的祸首，即所谓A级战犯。东京国际军事法庭以一九二八年六月四日皇姑屯炸死张作霖事件为日本这次侵略战罪的开始时期，并以此为准，检举了下列二十八名A级战犯：

一　首相与重臣——东条英机，平沼骐一郎，广田弘毅，木户幸一，小矶国昭。

二　陆海军领袖——荒木真夫，板垣征四郎（前关东军参谋长，陆相，侵华军总参谋长），松井石根，南次郎，土肥原贤二，畑俊六，永野修身（前海相，联合舰队司令），岛田繁太郎（前海相，军令部长），梅津美治郎（前关东军司令，参谋总长），木村兵太郎（前关东军参谋长，侵缅军司令），武藤章（陆军省军务局长，侵菲军第十四方面军参谋长），佐藤贤二（陆军省军务局长），冈敬纯（海军省军令局长）。

三　执行侵略政策的外交官僚——松冈洋右，重光葵（前外相），大岛浩（前驻德大使），白鸟敏夫，东乡茂德（前外相）。

四　主持日本经济动员或占领区榨取的大官僚——贺屋兴宣（前藏相，华北开发会社总裁），铃木贞一（前兴亚院政务部长，企划院总裁），星野直树（前伪满总务长官，东条内阁书记长官）。

五　日本帝国主义的理论家——大川周明，桥本欣五郎。

## 与纽伦堡不同

从表面看来，东京的战犯法庭与审讯德国战犯的纽伦堡法庭的性质完全相同的，实则有很大的差别。东京军事法庭不像纽伦堡那样，基于国际协定而设立，而是由麦克阿瑟以命令设立的。法庭由远东十一国（美、英、苏、中、法、荷、澳、加、纽、印、菲）的法官组织。这些法官虽由本国提名，但由麦克阿瑟任命。澳洲法官韦伯（Sir William Webb）任庭长，也是出自麦克阿瑟的任命，检察官也不是由盟国地位平等的代表构成，而是由以检察长美人基南（Joseph B. Keenan）为首的一班人员构成，基南也是由麦克阿瑟任命。美方在法庭和检察官方面所占的支配地位，自不免使审判进行受了影响。东京法庭更有一个与纽伦堡法庭不同的地方，就是检察官首先发言，而最后发言的是战犯辩护者，而不是检察官。

上开的二十八个A级战犯名单，都是属于“元凶巨憝”之列，那是没有问题的，但“元凶巨憝”漏网仍多。首先，实际上支配日本帝国主义的政治和享受侵略战争之果的财阀，一个也没有列在这名单之内。像前藏相三井财阀代表池田成彬，满洲工业大王鲇川义介，飞机大王中岛知久平都不算是A级战犯。这并不是因为他们的罪恶不昭著，而只是因为美国的华尔街大老板与日本独占财阀向有血缘关系，今后更要拉得紧些。即侵华重要军阀，如侵华军总司令冈村宁次，侵华海军司令长谷川清，前华中侵略军司令山田乙三，前关东军司令植田谦吉等，到本书执笔时还不见检举，甚至还在南京（冈村）台湾（长谷川）活动。

纽伦堡的审判，不管戈林，卢森堡等战犯怎样企图拖延，历时约一年之后，终于一九四六年九月卅日结束，幸逃法网的只有巴木，沙赫特和弗里彻。东京法庭条例虽也有迅速进行审讯的规定，但实际上却以蜗牛的步伐进行，从一九四六年四月起，拖了二年，到了一九四八年二月下旬才算审讯完结。辩护律师方面为使审判拖延不决起见，向法庭提出堆积如山的各种各样的文件，庭长韦伯也任他们作题外或横生枝节的陈述，以致到了一九四七年夏天，法庭所耗去的纸便达一百吨之多。在这之间，松冈，永野两个战犯已经病死，大川周明据说患“神经病”，大闹法庭之后就免予出庭受审。实际上A级战犯只余廿五人，但到执笔时止，还没有宣判。

## 法庭变成了演讲台

纽伦堡法庭每个德国战犯至多只有一个辩护律师，而且律师都是德籍的。但东京法庭的日战犯共有辩护律师五十余人，除了日籍律师之外，还有美籍律师廿多人，其中包含一些穿军服的官员。这些美国律师在替战犯洗刷罪状的工作中，表现出跟他们日本同事不相上下的热心，他们企图颠倒黑白，否认日本有过侵略的行为，甚至抨击美国本国亦所不惜。美军占领当局和国务卿马歇尔曾经自告奋勇地向法庭提出一些材料，美国辩护律师都大加利用。麦克阿瑟总部情报组官员布莱克中校且曾两次出庭作证，替重要战犯辩护。

由于美方对战犯这样纵容协助，东京法庭竟变为日本侵略者的演讲台，苏联的检察官虽屡次大声疾呼，要求处东条等极刑，但南京方面所提出的证据，只寥寥可数，而且软弱无力。[1]南京国防部次长秦德纯代表中国第一次出庭作证人，遭美律师穷诘，甚于犯人之被鞫讯。日籍的辩护律师和证人，本身不是战犯，就是旧的反动将军，情报人员，外交官。再加以美方的处处袒护，东京法庭倒显出是为日本战犯洗脱罪状以及日本的极端国家主义和军国主义宣传而设。在法庭上，战犯，美日辩护律师和证人用种种的花言巧语来为日本帝国的侵略和血腥罪行强辩，不仅说成正当的防苏，而且说成有功于世界人类。防共反苏特别是他们爱用的论点。在为侵华

[1] 见王芸生《日本半月》第十节“远东国际法庭与战犯”。

辩护时，松井石根把孙中山先生的“大亚细亚主义”与日本的“大东亚主义”混为一谈，土原肥还自称为“中国之友”。其他侵华的战犯不是说进攻中国的动机是在做成一条“防止赤化”的安全地带，便是说原因与中国的反日有关。对于苏联的造谣中伤，更是无所不用其极。东京法庭的审讯，虽也暴露了日帝处心积虑，进攻苏联和占领苏联领土的事实，但日战犯与其辩护人却总力图证明其“合理”。他们甚至利用目前美国的反共反苏而引“杜鲁门主义”为同道。一个美国辩护律师公然的说日本希望有一个稳定的“独立”的东北，以阻止苏联共产主义南下，吞并整个的中国。右派日本报纸更抓住每一次机会，详尽的登载关于审讯工作的虚伪报道，大事宣扬军国主义的思想。

天字第一号战犯东条的审讯经过，特别可以说是东京这个滑稽剧最精采的一幕。东条的日籍律师清濑一郎曾经是亲军阀的反动议员，参加过“国策研究社”，这个社团曾参与拟制侵略民主国家的计划。照理清濑应坐在被告席上，而他竟居然做了东条的律师，美检察长也不加以检举。清濑逞其狡辩，声名比战前还雀起。东条的申辩书，不仅为天皇洗脱，而且强调日本之作战“是出于自卫”，且日本“并未侵略亚洲大陆，仅曾步入大陆，将受西方桎梏的亚洲各族予以解放而已”。东条这一篇答辩书竟被允许编印成书，在日本销售数十万册，为日本最畅销书之一。答辩书的序且说“每一国民都应阅读”。经过审讯后，东条毫没有悔祸之心。他于一九四八年三月五日晨接见法国新闻记者说：“第三次世界大战不可避免，日本复兴是必然的。”据《朝日周刊》透露，东条等坐了两年监之后，成为民族英雄，声望更隆，日人对他们的拥护比前更热烈。

由于东京法庭对日战犯的宽大到了“枉法”的程度，所以东条感激涕零，日本人也说：“国际法庭对日本人民的思想有好影响。”

这些战犯是拘留在东条巢鸭监狱中的，备受优待。据荒木贞夫的次女幸子所发表的探监记，[1]战犯宿舍设备周全，生活也优闲舒适，每天吃三餐，下午一茶，西餐日本餐任便，探监的也吃得到一客下午茶。这样的舒服那里像监狱，倒像是高等疗养所。所以荒木小姐探过

[1] 据一九四八年三月十一日香港《工商日报》译载日本“妇人公论”的文章。

监之后，便很得意地说：“幸福将会降临到我们的头上。”据另一报告，这些战犯在监里过的日子异常写意，可以随便看报下棋打麻将以至看电影，其中星野直树等已养得比以前还胖。

## 战犯一批一批的释放

麦克阿瑟和美检察长最荒谬的行动，就是擅自释放重要的战犯。先后给麦克阿瑟和基南释放或免予审讯的有名战犯已经有好几批了。负责的皇族如梨本宫守正王，侵华军阀如西尾寿造，多田骏，小林跻造，真崎甚三郎，高桥三吉（前联合舰队司令），东条阁僚如岸倍介（前商相），青木一男（前大东亚相），寺岛健（前递相），安藤纪三郎（前内相），推行侵略的外交官僚如谷正之（前外相），天羽英二，本多熊太郎（前驻德和驻伪汪政府的大使），须磨弥吉郎（前驻南京总领事，西班牙公使），军部的爪牙如儿玉誉士夫（前海军省驻沪采购代表），亲军财阀如鲇川义介，中岛知久平，久原房之助（前政友会久原派领袖），石原广一郎（石原产业董事会长），法西斯头子如大川周明，笹川良一（国粹党主席），后藤文夫（前大政翼赞会副会长）等等都恢复了自由。

更可耻的，美籍官员以至检察长竟和日本大战犯往来交欢，视同密友。前外相松冈病死时，许多美国律师和美国军官曾去送葬，并给坟墓献花圈。检察官基南跟前朝鲜总督外相宇垣一成大将，前首相海相米内光政海军大将，前首相冈田启介海军大将，前首相若槻礼次郎（“九·一八”时代任首相）四战犯打得火热。这四人曾请基南到热海海滨别墅去消磨假日，基南更在官邸举行了一次“和平之友”的鸡尾酒会招待这四个大战犯，并且致词说：“我在日本一年有半的时间，认识了四位是真正的和平主义者，特设此宴，聊表敬意。”后来，这四个家伙还向基南献绣旗，猫鼠一窝，互相吹拍，天下还有比这个更荒唐的吗？

# 第八章　纸上的“财阀解散”与“土地改革”

要根绝日本帝国主义侵略力量，必须挖掉它的经济基础，要使日本政治真正民主化，必须使它的经济民主化。这即是说，日本的独占资本体制和封建的土地制度非摧毁不可。

一九四五年八月二十九日，美政府给麦克阿瑟的训令曾有规定：“凡因过去的社会关系或其他理由不能信赖来指导仅以达到和平民主为目的之努力之人，应禁止在经济界中保留重要的位置。”并应“帮助解散在日本商工业的大部分具有支配力的大产业和金融康拜因（combines）”。这种规定就含有在经济上挖日本帝国主义侵略的根的意思。远东委员会于一九四六年七月十日通过的对日政策基本原则也明确地规定：（一）日本的

“劳工，工业及农业机构应根据民主基础组成；（二）凡经济界人士，其过去的历史不能信任其能指导日本经济上的努力，以达到和平及民主目的者，均由最高统帅禁止其恢复重要地位；（三）制定关于大工业及银行独占组织之解散，并在较广大之管制及所有权之基础上，代以其他组织之计划”。

在占领之初期，麦克阿瑟总部像是照着美政府训令和远东委员会的决定，在经济的民主化方面有所作为，着手解散大财阀组织和改革土地制度，然而事实上这些改良的方案本已很不彻底，加上日政府的怠工，和麦克阿瑟总部缺乏实行的诚意，殆成为纸上文章，最近更在有些地方反其道而行了。

## 财阀的王国

如所周知，战前日本的独占资本已有高度的发展。三井，三菱，住友，安田，太仓，山口，川崎，古河，涩泽，浅野等十五个大财阀控制了日本工商业的三分之二以上。就中，三井，三菱，住友，安田四大财阀拥有全国财富的百分之四十，全部股份公司投资百分之六十，单三井一家就占百分之二十五。这四大财阀跟涩泽和川崎的银行事业合并计算，掌握了银行、信托公司和保险公司全部基金（金融资本）百分之五十七。单单三大财阀就至少控制了一半的煤和钢的生产，全部商船吨位的半数，以及全部对外贸易的百分之三十三；最大的三井三菱两财阀就建造了半数以上的轮船吨位，控制了全国的造纸工业，百分之七十的面粉工业，全部炼糖业，以及大部分的化学工业。战争只加速了这些大财阀对于较小的公司的合并，更增涨了他们的腰包。战争结束后根据“盟总”的报告，四大财阀拥有营业资本一百二十亿日圆，控制银行存款和银行资产一千一百一十亿圆。

这些大财阀既然是发纵指使日本军阀对外侵略的幕后人，而又坐地分肥，在占领区大发其财，消灭这些财阀，实是应有的一着。

但是，日本投降后，日本的统治者如币原，吉田之流既都是财阀的代理人，白宫真正的主宰华尔街财阀又与日本独占资本有血肉的关联，希望美日当局摧毁日本大财阀，便有类于与虎谋皮了。币原曾对美国人说，“旧”

财阀是“好”的，只有“新兴”的财阀才是“坏”的。吉田也曾公开替财阀洗脱对侵略战争应付的责任。美国陆事部长罗耀尔更说，没有财阀，“没有这些最能干，最有经验的国家领导者”，日本的经济复兴是不可能的。美日当局在这样的观点之下“解散”财阀，其为怠工欺骗，自不足怪。

## “解散”的计划

一九四五年十月，大财阀的代表与“盟总”当局商谈过之后，决定由安田财阀代表四大财阀提出自动解散的计划交给“盟总”。这计划的要点是：（一）持股公司（Holding Company 日名取缔公司）及财阀同族所有的股分资产，均交给新设之“持股公司整理委员会”清理，持股公司便须解散。（二）持股公司及财阀同族交给股份资产时，领取收据，俟股份资产处分完毕，掉换十年期限的政府公债，收据及公债原则上均不得出卖，移转，抵押。（三）股份资产公开时，从业员有购入优先权，又限制股份一次购买额，以防个人或家族多购，足以构成控制权。麦克阿瑟接受了这个方案，于十一月六日发出指令，日政府依照这方案解散大财阀，并添了如下一项：财阀全家须从第一线撤退，今后直接间接不得参加一切经营。其后，同月二十五日盟总再作枝节上的补充，翌年四月得到日本政府的接受。同年十二月议会通过成为法案，即所谓“经济力集中排除法”。同年美陆军部和国务院派出的以爱德华斯（Corwin Edwards）教授为首的财阀调查团到日本去，爱德华斯教授不满意于安田财阀所提出的方案，认为不能消灭财阀。根据爱德华斯的报告，美政府作成一个政策的声明，交给麦克阿瑟征求意见，麦氏稍加修改，表示同意，由陆海军部和国务院批准，送交远东委员会考虑，这就是有名的“远东委员会文件第二百三十号”。到了一九四六年十一月，大财阀的主要持股公司才开始解散，一九四七年二月，日本政府才下令清算三井高公等五十六个财阀家族的八千万美元的个人财产，把他们的财产置于整理委员会的监督管理之下，形式上剥夺了他们对企业的支配权。日本政府之迟迟执行“盟总”的指令，使人极怀疑它要给财阀以变卖或隐匿其资产的机会。至于财阀持股公司的股票的接管和处理，也进行很慢，清理委员会由一九四六年八月开始办公，时历两年，到现在还没有处理完竣。

本来，彻底的消灭财阀的办法，就是如苏联代表在盟国管制日本委员会所提出的，将日本财阀的财产收为国有，而不给予任何补偿，这不是美日当局所能做到的。以现行的解散财阀的办法而论，不仅是极其“温情”，而且破绽百出。

## 计划本身就多毛病

如平野义太郎所指出，[1]麦克阿瑟总部的解散财阀办法至少有如下的缺陷：（一）财阀解体的实行机关持股公司整理委员会，除少数资产阶级学者（如美浓部亮吉教授）当作陪衬而列在其中之外，负责的地位完全被金融资本的代理人（如委员长为兴业银行理事笹山忠夫，常任委员野田岩次郎是日本棉花实业公司外事部长）所占据，自然不会彻底去做财阀解体的工作。（二）仅把股票分散，还不能实现所有的民主化，因为，由于

[1] 平野义太郎：《论财阀解体》（载一九四八年十一月二日上海《大公报》）。

企业的所有和经营分开，股票公司债务化，一般的股东变成公司的债权者，保有较少的股份也可支配公司的经营。何况，继续不断的通货膨胀，已使勤劳大众成为身无长物的赤贫者，实没有购买财阀股票的余力；即使极少数薄有储蓄的人，买得若干股票，但这种小股东并不能长久保持股票，结果还是转卖出去，而财阀收集少数的股票，依然可以重握公司的支配权。如果这些股票为黑市商人或所谓“新圆阶级”暴发户买到，结果仍将经济权力从旧财阀转入新财阀手中，以暴易暴，那里算民主化？（三）旧财阀家族虽被逐出于“第一线”外，不许参加经营，但补上去的经营干部都是先前财阀家族的部下，此举仅仅加速了财阀人事的新陈代谢过程而已。资本关系虽断，人和人的关系，一如往昔的连在一起，故仅仅财阀资本关系的整理和旧财阀的头等人物的放逐，决不能使财阀解体。（四）目前施行的财阀解体办法，规定财阀把股票拿出来换回以十年为偿还期的公债票，因而财阀可取得公债利息。这将使财阀家族成为寄生的利息生活者而且被保障，这对于国家的财政是极大的负担。

事实证明平野的观察是对的，被解散的财阀的股票，现在出卖期中，但据说消化力不佳，很多落在证券业的手里，将来仍免不了资本集中的命运。其次，财阀家族的“追放”虽比政界为严厉，但新人都是替身，他们本人则混入政界，财阀与政界的联络更加完善。再次，财阀解体后，与财阀有关的公司均已改换名称（如三井系的“三井建设工业”改为“三建工业”，三菱系的“三菱商事”改为“东京商事”。住友系的“住友金属工业”改为“扶桑金属工业”，中岛系的“中岛飞行机”改为“富士产业”等）。日政府借词加速经济复兴，优先保护生产额巨大的工场，优秀的机械设施和生产技术既集中于财阀工场手中，故与财阀有关的公司倒获得政府准许通融借款及其他的便利，它们的事业反较强盛起来。据《读卖新闻》一九四八年二月四日的统计，复兴资金的大额贷金，还是为三井三菱等大财阀所吸收。单是三井矿山公司占了三十亿日圆，三菱矿业占了十九亿日圆。至于战后资本集中的趋向，实在有加无已，金融资本特别是如此，看下列两表便明。[1]

[1] 据《朝日评论》一九四八年一月号宇佐美诚次郎所载论文。

**一　日本普通银行的集中表**

| | 银行数 | 存款（亿圆） | 贷款（亿圆） |
|---|---|---|---|
| 1937 年末 | 377 | 124 | 77 |
| 1941 年末 | 186 | 294 | 157 |
| 1947 年 8 月 | 62 | 1493 | 610 |

**二　帝国（三井），三菱，住友，安田，三和五大银行的支配状态表**

（一九四七年八月）

| | 银行数 | 贷出额（亿圆） | 存款（亿圆） |
|---|---|---|---|
| 普通银行会计 | 62 | 610 | 1493 |
| 五大银行 | 5 | 304 | 719 |
| 持股银行 | 27 | 133 | 363 |
| 五大银行所支配 | 32（51%） | 437（71%） | 1081（72%） |

如上所述，我们已可以看到，美日当局所进行的解散财阀的工作，不仅不彻底，而且是马虎敷衍，离经济民主化的目的不知多远。可是，随着美国扶日复兴政策的日益积极，美方连这样的门面工夫也要大打折扣以至放弃。

## 索性取消了“财阀解散”

一九四七年下半年，美国的独占资本家以及他们的代言人共和党议员对于解散日本财阀的办法已暗中酝酿反对，他们恐怕消灭大工业家银行家权力的政策会摧毁了日本资本主义制度。同年十一月特别国会开会时，共和党参议员诺兰（William F. Unowland）公开指摘此种政策，说是“苏联以外最社会化”和“非盎格罗撒克逊式”的措施，要求彻查远东委员会文件第二百三十号[1]。一九四八年一月，麦克阿瑟总部宣布免除三井（帝国），三菱，住友，安田四大家银行适用过度经济力集中排除的法令。跟着，在美国国会的顽固派和华尔街的独占资本家的压力之下，同年三月间据传美国务院和陆军部已确定放弃解散日本独占财阀的计划，撤回远东委员会第二三〇号文件。差不多在那个时候，美陆次德莱柏率领的代表团访日，代表团员本身也是大资本家的约翰斯敦霍夫曼等居然接见三井财阀的最高顾问池田成彬，三菱重工业公司现任总经理冈野保次郎，浅野财阀的浅野良，工业大资本家石川一郎等，这些财阀代表就停止经济力集中的排除和

[1] 据一九四一年一月四日《纽约下午报》乌尔（A. H. Uhl）所撰“日本独占在美国找到了朋友”一文。

解除若干经济战犯的追放等问题提供意见，相谈甚欢。与德国独占资本勾结的德莱柏早就惋惜过日本财阀的追放，说是影响了日本生产的复兴，对于他们的意见，自然加以“善意”的考虑。五月一日麦克阿瑟总部宣布：原拟分散改组的日本大公司三百二十五家，现决定减为一百三十一家，享受豁免分散之一百九十四家公司，有五十家完全保留原状，其余一百四十四家则须将其与主要生产部门无关之附属公司出卖，唯公司本身仍保留完整。这显然是德莱柏与日财阀密谈的产物。五月十八日德莱柏，约翰斯敦等提交陆军部的报告书，更明白建议，财阀和其他经济的独占组织之分散，必须尽量缓和，并限制改组至最低限度，以免引起长期不安定的情形，而保证合理的竞争。这等于说，美统治者已撕破它的“协助日本经济民主化”的假面具，而要完全取消经济集中力排除法案了。

诚然，麦克阿瑟总部中对这问题有两种不同的意见，负责反托辣斯工作的威尔斯，代表那些与日本工商业有竞争的美国工商业家，主张依旧实施这些解散财阀的法案，但他拗不过代表美国独占资本家的麦克阿瑟和经济组长麦克瓦特。这两派的斗争自然还是以威尔斯的失败而结束。

## 封建的土地制度的轮廓

关于日本的土地问题与土地改革，自不是短少的篇幅所能详细论列，这里只能描出一个轮廓。

在资本主义有高度发展的日本，农业的比重依然相当大。据一九四七年十月一日的统计，日本全国人口78，627，000人中农业人口占百分之四十六有奇。故土地问题关系重大。日本的土地所有是相当集中的，全国百分之三的大地主拥有百分之三十的可耕地，大约佃出土地的二分之一。在土地所有者中间，有三千个地主每人拥有平均一百二十二英亩，有二十五个地主每人拥有平均四千五百英亩。[1]另据一九四〇年的统计，耕地所有的分配如下：所有自一町步（一町步等于二点四五英亩）至三町步——943，522户；三至五町步——222，347户；五至十町步——106，493户；十

[1] 据一九四八年一月美国《外交季刊》所载“日本农业改革的前途”。

町步或十町步以上——45，784户。日本土地所有分配的情形既是这样，所以小自耕农和佃农占大多数，在全国农家中佃农约占百分之七十左右。看下表便明：

| 农户类别 | 户数 | | 百分比 | |
|---|---|---|---|---|
| | 1946年4月26日调查 | 1947年8月1日调查 | 1946年4月26日调查 | 1947年8月1日调查 |
| 自耕地主 | 214，054 | —— | 3.8 | |
| 自耕农 | 1,655,244 | 2,153,611 | 29.0 | 36.5 |
| 佃农 | | | | |
| 自耕农兼佃农 | 1,127,166 | 1,183,408 | 19.8 | 20.0 |
| 佃农兼自耕农 | 1,061,188 | 996,986 | 18.6 | 16.9 |
| 纯佃农 | 1,637,051 | 1,573,838 | 28.7 | 26.6 |
| 不耕作土地的农户 | 3,245 | 1,386 | 0.1 | 0.0 |
| 合计 | 5,694,948 | 5,909,229 | 100.0 | 100.0 |

日本佃农每年要以他的收获的一半或一半以上（通常是实物）缴纳佃租。终年辛劳，而结果如此，故佃农通常是要欠债，受地主高利贷的榨取。此外，地主的半封建的剥削依然存在。佃权受不到法律的保障，地主可以随时取回土地，因而过去佃租争议频繁发生。日本帝国主义是以这种半封建的土地制度为基础。农民和佃农的贫乏化，使日本国内市场狭隘，予日本资本主义的对外侵略以刺戟，同时破产的农民提供工业资本家以廉价

劳动，增加其对国外市场的竞争力。大地主固是日本反动统治的支柱之一，他们更利用农民的落后性作为培养军国主义的温床。军队的下级军官通常由地主子弟构成，炮灰的泉源则主要唯农民是赖。

## 农地改革法案

为了保持半封建的剥削，过去日本政府并没有怎样施行土地改革。占领之后，一九四五年十一月，币原内阁奉麦帅的面谕草拟一项实际上志在保全地主的“土地改革”法案，即所谓“第一次农地改革”，但仍遭遇国会的反对。十二月九日，麦克阿瑟总部指令日本政府于一九四六年三月十五日以前草拟土地改革计划，日议会乃连忙通过这一法案。但麦克阿瑟总部认为该法案太不像话，不予接受，日政府只得准备新的方案。于一九四六年三月十五日提出。这计划依然是规避敷衍。同年五月，麦克阿瑟总部乃向盟国管制委员会提出土地改革问题征询意见。英国代表鲍尔建议一个比较进步的计划作为答复，得到盟管会其他会员国的支持。日议会后来采纳了这个计划，于十月二十一日通过了所谓“第二次农地改革法案”。

法案的内容是这样：（一）不在村地主的全部耕地须卖给政府，在村地主则可保留一町步（北海道则为四町步），预计可将原为佃出的耕地二百余万町步（约五百万英亩）转到佃农手上，即原有的佃农的百分之八十将可变成自耕农，但仍将有约六十万町步（约一百五十万英亩，等于全部耕地十分之一）继续出租。（二）政府按照一九三九年的官定地价——即水田每町步9，783.30圆，旱田5，773.70圆——向地主收购，而以较廉之价——水田每町步7，567.00圆，旱田4，469.80圆——算作是津贴，转售给佃农。政府付给地主的是三十年内偿还的债券，而佃农可一次偿付地价或分三十年偿付。（三）原来的佃农有优先买受之权，有多余的劳动力的佃户亦得买受，但佃农连原有和新购的耕地不得超过三町步。（四）依照此法案实施的改革应于两年内完成，即地主土地的收买和卖给佃农应于一九四八年十二月底以前完成。（五）农地改革执行机关为“农地委员会”。分市町村，府县和中央三级。市町村农地委员会由地主三人，自耕农二人，佃农五人以及“有学识有经验的人”三人构成。府县农地委员会由市町村委员会佃农方面所推选的佃农十人，市町村委员会地主和自耕农方面委员所选的地主六人，自耕农四人，以及农林大臣自“有学识有经验的人”中指派十人构成；至于决策机关的中央委员会则由佃农八人，地主八人（均由府县委员会的佃农地主方面的委员选出），“日本农民联盟”及较保守的“全国农民联盟”代表各一人及大学教授四人组成。（六）违反本法案者处六个月以下的徒刑或五百圆以下（实等于几天工资）的罚金。以外，日政府还颁布农地调整法，规定禁止实物地租，水田地租不得超过收获总值百分之廿五，旱地不得超过百分之十五，佃约须用书面，地主不得随意收回租出之耕地。

## 法案本身的缺陷

这法案的本身已有不少的缺陷。第一，在村的地主仍得保留一町的土地出租，许多农会组织就恐怕地主以这一町地为核心，利用高利贷、荒年及其他机会恢复他们对土地的控制权。第二，土地改革法案一般只适用于耕地，而不适用于更广大的林地和荒地（一九三六年，佃农租来的耕地共有二百八十万町步，但私有的林地荒地共达一千万零五十万町步），这使得那些使用地主所有的林地的山区农民不能自农奴似的生活中解放出来。第三，农地改革未顾到与耕地有附属关系的水利权，握有水利权的地主仍可制佃农的死命。第四，各级的农地委员会中，地主仍有相当大的发言权，加之以所谓“有学识有经验”的人中选出的委员，实际上无非是地主的代言人，故农地委员会的决定自处处为地主的利益设想。

以该法案的实施而论，美日当局更纵容地主的偷龙转凤，怠工破坏，未见实效。关于实施上面的破绽，可指出如下几点。

## 实施上的破绽

（一）一次农地改革法案于一九四五年十二月提交国会，二次农地改革法案于一九四六年十月才通过，再过好几个月才开始实施，故地主有很充裕的时间来玩弄花样，或强迫佃农退佃，假装自行耕种，以避免为政府收购；[1]或把土地分与子弟，使他们成为自耕农；或把土地售与一个有名无实的人，而以高价转售给他的佃户。

（二）法案开始实施之后，地主尽力反抗破坏。他们开始组织自己的团体，企图获得自耕农，非耕种农户等等的支持。他们不仅恫吓佃农和政府官吏，甚至向法庭控告政府侵犯财产私有权为"违宪"。代表地主利益的日本政府固予以庇护，有些出身南部诸州的美方官员，一向同情地主，更煽动他们此种反抗情形。不痛不痒的罚则不会使他们有所戒惧。最近美国扶日政策的表面化，更引起地主们对废止该法案的希望。

（三）向在地主积威之下的日本佃农，文化水准既低，又怕地主的恫吓，他们中有许多人对土地改革采取淡漠的态度，不积极争取土地改革的彻底实施。加之农

[1] 例如东京有一个名山形的大地主，在相田附近拥有数百町的耕地，一听到土地改革的消息，即跑到相田去，宣布收回佃出的土地，而答应以低廉工资雇回佃户作长工。佃户初不答应，向当地警局控诉，警局不受理，雇农只得对地主屈服（前揭《危险来自东方》一二三页）。

民运动内部分裂，平野力三所领导的右翼农民组织更为地主服务，对土地改革怠工。

有此三种现象，再加之以日本历届内阁都没有诚意实施土地改革，因而进行得很迟滞，表面上也离完成之期很远。据日本官方的统计，自一九四七年三月底至一九四八年三月底，政府六次收买的农地面积共1，343，000町步，连地主作为财产税缴给政府的土地合计，共为1，622，000町步。这等于全国佃农地面积的百分之七三点九。从表面上看来，成绩还不坏，但卖给佃农的土地数目却少得很。至今年（一九四八年）三月底，在这一年中间，由政府卖给佃农的土地合计仅427，300町，还不到已收买的耕地总面积百分之三十。照日本当局的解释，卖出迟滞的理由是因为农地委员会的人手不足，卖出之前须把分散的土地加以交换分合，以及对于佃农的购买申请的许可慎重其事，不过无论如何，美日当局之没有诚意厉行土地改革是无可否认的事实。因此，进步的农民方面提出了“第三次农地改革”的要求，希望对第二次农地改革予以根本修正，撤消在村地主得保留耕地一町步的规定，以及林野，牧场，开垦地全面的“解放”（即亦须由地主转移于佃农之手），一九四八年四月上旬的日本农民联盟全国会议即以此为重要议案提出。但执政的民主党已决议坚决反对。

总而言之，在美国管制和日本保守政府统治之下，所谓经济民主化，至多也是徒有其名，真正的经济民主化还有待于人民政权的建立。

# 第九章　经济复兴的新威胁

“日本将被许维持其经济所必需及可以偿付货物赔款等工业，但可以使其重新武装作战之工业不在其内；为此目的可准其获得原料，日本最后得被允许参加国际贸易关系。”

这是《波茨坦宣言》关于投降后日本经济的规定，是够宽大的了。当然，签字于《波茨坦宣言》的盟国都没有使日本经济陷于破产，日本人民过水准以下的生活的意思，但问题却在于战后日本经济的恢复是循什么路线——波茨坦路线还是反波茨坦路线。这即是说，是否意味着日本帝国主义的复兴。

## 先看看赔偿的处理

提供这问题的解答以关键的，看先是赔偿处理的情形。如果盟国要日本所提供的赔偿足以降低它的工业水准至不足为患的程度，足以挖空了日本帝国主义复活的现存经济基础，则日本经济复兴之不致构成对远东人民的威胁，便可获得有力的相当保证。然而，片面管制日本的美国究竟怎样处理赔偿问题呢?

在日本投降之前，有一部分美国人提出“我们将使日本成为一个大农场”，“我们将拆掉日本一切机器”的口号。但是，到了日本单独归美国管制之后，美国对日本赔偿问题的态度便愈来愈软了。

一九四五年十二月七日美总统赔偿专使鲍莱（Pauley）发表日本赔偿计划，主张维持一九三〇年的工业水准，不独保留全部纺织，生丝等基本工业，而且保留年产铣铁五十万吨，钢块二百五十万吨，硝酸一万二千五百吨，商船保有一百五十万吨，火力发电二百万瓩，但不许生产铝、镁、轴承等。超出此限量的工厂则拆充赔偿。这与我国舆论所要求削减日本工业至一九二八年水准的主张相差已远。并且，如鲍莱自己所承认的，也超出日本人民在平时所需要。一九四七年二月，陆军部派大企业家斯揣克（C. Strike），再去日本调查，斯的意见书竟宣布赔偿应只及于一部分军需工业，应让日本保有可用以偿付输入物资的一切工业，因而，他建议的赔偿方案只及鲍莱的百分之三十。麦克阿瑟将两方案予以折衷，而成为鲍莱案的百分之六十至六十五，远东委员会根据美方建议，初于一九四六年五月通过一临时赔偿品折衷方案，前后共指定工厂一千〇二所充赔偿。由于美国对日政策的变更，到了一九四八年一月，指定赔偿的工厂减至八百九十家。美国没有征求远东委员会的同意，曾指令麦克阿瑟，对这批工厂先提出百分之三十，按照中国百分之十五，英、荷、菲各百分之五的比率分配。同时，麦克阿瑟“暂”行指定赔偿的工厂七百家照常开工。

一九四七年四月，美国所操纵的远东委员会，决定将日本工业设备保留于一九三〇——三四年的水准，这即是保留于一九三一年“九·一八”沈阳事变以上的水准。依据远东委员会的决定，铣铁年产得增至二百万吨，钢块三百万吨，造船十五万吨，硝酸三万吨，商船保有量三百万吨，都比鲍莱计划为高，而且，炼铝炼镁和轴承工业均许可恢复。日本对这一个决定虽表欢迎，但仍不满足。

## 由斯揣克到德莱柏

一九四八年二月廿七日，第二次访问日本归来的斯揣克代表团（即“海外咨询协会”）向陆长提出报告书，主张“除基本战争工业外，一切生产设备（包括重工业在内——笔者）都不移作赔偿”，即是把上述麦克阿瑟所决定的再减为百分之三十三。详言之，斯揣克报告书建议拆毁充赔偿的工厂，仅为兵工厂，一部的炼铝炼镁和造船设备，八个人造橡皮工厂，但钢铁（每年生产量八百余万吨），机械工具，轴承，人造油类，发电机，硫酸等与战争有关的工业则主张全部保留，商船建造且建议每年增至四十万吨。由这一个方案的内容看来，美国以大减日本赔偿来扶植它复兴的计划，显然不是以提高日人的生活水准为目的了。

同年五月十八日，美陆次德莱柏代表团所发表的报告，对于赔偿一项的建议又更比斯揣克方案为宽大。在赔偿方面，德莱柏主张早日解决，不应将其工业生产能力冻结于一九三〇——三四年的水准上，而提高至一九三七年以上。军需工厂赔偿品单中，应剔除硝酸，人造橡皮，制铝，制铁，造船各厂。全部赔偿价值仅为六亿六千二百二十四万七千日圆，按一九三九年的汇率折算，约合一亿六千万美元。而且，日本在中国华北、台湾及其他各地区的“资产”已落入苏联及中国之手的，都要认作赔偿物资，在应得赔偿额中扣除。中国八年抗战，公私财产损失估计达五百亿美元，就算以德莱柏所定的一亿六千万美元的一半给中国，也抵不过损失的百分之一。

由鲍莱方案演变为德莱柏的建议书，美国的赔偿计划实在已变了质，它所考虑的已不是盟国在战时的惨重损失如何稍为弥补，远东的安全与和平如何确保，而是如何保全日本帝国主义经济的基础，以及如何恢复日本为亚洲工业强国了。

## 美积极扶日的计划

而且，美国扶助日本经济复兴，不限于把赔偿额削减到最少，且有更积极的一面。以德莱柏的报告书而论，它强调日本经济复兴的最大阻力是粮食和原料的缺乏，因此美国要运用权势克服那些施诸日本贸易的“歧视”，帮助日本尽量扩充出口贸易，使它的出口总值增加到目前的八倍到九倍，以偿付它的原料和粮食的大量进口。输入粮食原料的对手主要是英镑区和东亚各国，而中日间要迅即恢复积极的贸易，前者将以多种原料供给后者，后者供给前者以各种工业品。同时，德莱柏主张加速日本毛棉丝纺织工业的生产，取消商船建造每艘排水量只能在六千吨以下的限制，鼓励日本增加商船吨位，在今后五年内，从百万吨加到四百万吨（中国现有的商船吨数还不足一百万吨）。为加速日本经济复兴，美国正实施以日本为中心的远东“马歇尔计划”，源源贷款给日本。关于美国赠与和贷给日本的款项的总数，我们还得不到综括统计。以最近的数字而论，一九四七年度，美国对日本的贷与和资助共达四亿美元。在一九四八年度，除了已经确定的六千万美元的棉花借款之外，日本预期可自美国获得“直接救济日本平民”款三亿七千五百万美元，在美购买棉花、染料、纺织设备的周转金一亿五千万美元，合计几及六亿美元。据说，六月廿六日麦克阿瑟又派员返华盛顿秘密请款廿五亿美元，以充

“复兴日韩经济之用”。

除了贷款赠与之外，美国还多方设法供应日本以粮食和工业原料。在救济的名义下，美国向日本源源输入米面，以至乳牛乳羊等等，工业原料则有棉花，煤，铁等等。此外，美国还替日本自马来亚和中国获得铁砂（海南岛和中国本部）、盐（长芦与海南）和粮食的供应，自澳洲获得羊毛，自荷印获得橡皮、锡和热带特产，好把日本帝国主义再喂肥。

为便利日本对外贸易的扩充，麦克阿瑟总部不征求其他盟国的同意，准许日本经济界派出对印通商考察团，出席国际丝业会议及国际纤维博览会的代表团。美国与接受马歇尔计划援助的欧洲国家所订立的双边协定中，以最惠国条件予日本，使这些国家的远东殖民地不能以关税壁垒来阻碍日本货的倾销。

## 战后经济基础还是健在

美国这样子扶植日本，在经济方面的借口是要使日本能够自给自足，人民至少维持相当高的生活水准，同时免去美国纳税人每年大部为供应日本而支出的四亿美元的占领费（按事实上占领费大部分是由日本人民负担）。诚然，投降后日本一般人民的经济生活是很苦的，但事实上，比起德国或一些惨受战祸的战胜国家来，战败国日本的经济情况并不算太坏。在投降之时，它的经济机构在组织上差不多原封不动，它还保有相当多量的消费品和工业原料的贮藏，一九四六年日本的米产又丰收，如果日本政府的行政管理得宜，日本由战时经济过渡到平时经济不会遭遇像目前所碰到的经济灾难。然而，日本军阀财阀对于重要物资的藏匿，为财阀谋私利而以大众为牺牲的官僚统制，过度庞大的预算和通货膨胀政策的厉行，以及黑市投机之被优容，粮食配给的缺乏效率，使战后日本财政经济陷于贫乏混乱的状态，一般人民更在饥饿线上挣扎，而日政府和企业家为诱致美国更大的援助，减少赔偿至最低限度，更对生产的恢复怠工，甚至故意夸大日本经济的困难，以博取美国和世界的同情。[1]

[1] 参阅美人毕逊 T. A. Bisson《日本的赔偿与改造》，见一九四七年十二月十七日《远东调查》（*Far Eastern Survey*）。

但是，投降以后日本产业的基础并不见有重大的削弱，比“七七”事变以前反而强大得多，它的产业构造也不见得比战时有多大的不同。看以下三表便知：[1]

**一、 投降以前和以后的日本工场数**

| | 1934 年 | | 1941 年 | | 1946 年 | |
|---|---|---|---|---|---|---|
| | 工场数 | 百分比 | 工场数 | 百分比 | 工场数 | 百分比 |
| 金属工业 | 6,610 | 8.2 | 11,011 | 8.1 | 9,038 | 10.7 |
| 机械器具 | 9,181 | 11.4 | 25,601 | 18.8 | 20,201 | 23.7 |
| 化学工业 | 4,313 | 5.4 | 9,473 | 6.9 | 6,835 | 8.0 |
| 电气煤气 | 552 | 0.7 | 713 | 0.5 | 690 | 0.8 |
| 瓷业及土石 | 3,723 | 4.6 | 7,095 | 5.2 | 4,462 | 5.2 |
| 纺织工业 | 24,399 | 30.4 | 32,412 | 23.8 | 11,438 | 13.4 |
| 木材及制木 | 6,730 | 8.4 | 14,526 | 10.6 | 15,893 | 18.6 |
| 食料品工业 | 13,500 | 16.8 | 21,559 | 15.8 | 10,153 | 11.9 |
| 印刷及制书 | 3,234 | 4.0 | 3,783 | 2.8 | 1,552 | 1.8 |
| 其他工业 | 8,070 | 10.1 | 10,294 | 7.5 | 4,925 | 5.8 |
| 合计 | 80,311 | 100.0 | 136,477 | 100.0 | 85,232 | 100.0 |

[1] 据一九四八年五月十五日《东洋经济新报》：“日本产业的构造之变化”。

### 二、投降以前和以后日本工场从业者数

| | 1934年 | | 1941年 | | 1946年 | |
|---|---|---|---|---|---|---|
| | 从业人数（千人计） | 百分比 | 从业人数（千人计） | 百分比 | 从业人数（千人计） | 百分比 |
| 金属工业 | 210 | 8.7 | 500 | 2.1 | 406 | 12.6 |
| 机械器具 | 365 | 15.2 | 1,702 | 37.6 | 1,027 | 31.8 |
| 化学工业 | 226 | 9.4 | 466 | 10.3 | 434 | 13.5 |
| 电气及煤气 | 11 | 0.5 | 19 | 0.4 | 20 | 0.6 |
| 瓷器及土石 | 92 | 3.8 | 163 | 3.6 | 137 | 4.2 |
| 纺织工业 | 1,026 | 42.7 | 968 | 21.4 | 492 | 15.3 |
| 木材及制木 | 87 | 3.6 | 207 | 4.6 | 364 | 11.3 |
| 食料品工业 | 174 | 7.2 | 238 | 5.7 | 177 | 5.5 |
| 印刷及制书 | 69 | 2.9 | 76 | 1.7 | 55 | 1.7 |
| 其他工业 | 142 | 5.9 | 164 | 3.6 | 113 | 3.5 |
| 合计 | 2,403 | 100.0 | 4,524 | 100.0 | 3,225 | 100.0 |

### 三、投降以前和以后日本工业生产额

| | 1934年 | | 1941年 | | 1946年 | |
|---|---|---|---|---|---|---|
| | 生产额（百万圆） | 百分比 | 生产额（百万圆） | 百分比 | 生产额（百万圆） | 百分比 |
| 金属工业 | 1,497 | 15.9 | 5,490 | 18.9 | 11,404 | 13.3 |
| 机械器具 | 1,159 | 12.4 | 8,269 | 28.6 | 24,748 | 28.8 |
| 化学工业 | 1,481 | 15.8 | 5,357 | 18.5 | 14,528 | 16.9 |

续表

| | | | | | | |
|---|---|---|---|---|---|---|
| 瓷业及土石 | 252 | 2.7 | 803 | 2.8 | 2,932 | 3.4 |
| 纺织工业 | 3,168 | 33.8 | 4,383 | 15.2 | 7,587 | 8.8 |
| 木材及制木 | 229 | 2.4 | 1,136 | 3.9 | 9,374 | 10.9 |
| 食料品工业 | 1,046 | 2.2 | 2,443 | 8.5 | 8,235 | 9.6 |
| 印刷及制书 | 204 | 2.2 | 359 | 1.2 | 2,014 | 2.3 |
| 其他工业 | 335 | 3.6 | 662 | 2.3 | 4,987 | 5.8 |
| 合计 | 9,370 | 100.0 | 28,901 | 100.0 | 85,801 | 100.0 |

这几个表明白地指出：（一）投降以后，日本工业的规模依然比一九三四年为大，并不因美飞机和原子弹轰炸而有重大的损失。以工场所雇用的职工来说，增大了百分之三十四，而比起战争期间的一九四一年，也不过减少百分之四十。（二）由一九三四年到一九四一年，日本产业的结构由以轻工业的纺织业为中心，转为以那些与战争有关的重工业及化学工业为中心，这种趋势至一九四六年大体上仍没有变，金属、机械和化学三种工业的比重依然是百分之十左右（以从业者数和生产额计算）。这即是说日本的战争潜力实在没有经过怎样摧毁。

## 五年复兴计划

在斯揣克的赔偿报告书发表后，麦克阿瑟就拟订一个援日六年计划，目的在于使日本经济迅速复兴，一九五三年实际的工业水准比一九三〇——三四年平均提高百分之六十。以这计划为蓝本，日本经济安定本部制定了一个所谓“经济复兴五年计划”，把完成的时期从六年缩减到五年。德莱柏的报告书发表后，经济安定本部把原拟定的“五年计划”大加修正，预期借着美国资本的支持和对人民的加紧剥削，于一九五二年恢复以至超过一九三〇——三四年期间的水准。

详言之，这一计划预定增加矿产及制造品产额三倍，劳工生产及国家税收各一倍，提高出口额九倍。预期纺锤之数目增至五百八十三万锭（等于一九三〇——三四年平均为八百万锭的百分之七五），棉纱九亿九千万磅（等于一九三〇——三四年平均十一亿五千八百万磅的百分之八五），人造丝二亿一千万磅（几等于一九三〇——三四年平均八千一百一十七万磅的三倍），煤产四千四百万吨（等于一九三〇——三四年平均三千一百七十三万吨的百分之一四〇），钢块三百八十四万吨（等于一九三〇——三四年平均二百七十二万二千吨的百分之一四〇），电力三百九十九亿二千万瓩（等于一九三〇——三四年平均一百六十八亿一千一百万瓩的两倍半），食米六千七百九十二万一千石（等于一九三〇——三四年平均六千一百零三万石的百分之一一一）；又预计一九五二年的出口总值十六亿四千六百万元，入口总值十六亿五千七百万美元。输出的主要商品为棉纱五亿九千四百万磅，人造丝一亿四千万磅，毛织品四千万磅，主要纤维四千二百十万五千磅，水泥三十四万吨，硫化氢十二万吨。为获取工业生产所必需的原料，日本计划输入特级煤五百万吨，普通钢材二十万吨，盐一百八十七万吨。

这一个计划显示，在美国鼓励下的日本统治者复兴经济的努力，依然侧重与战争有关的重工业的恢复，而同时再谋以纺织品泛滥于世界尤其是远东市场，换取它必需的工业原料。日帝国主义恢复经济和军事侵略的野心不是从这里已透露出来吗？

也许有人以为德莱柏的报告书和日本经济安定本部

的“五年计划”都只是纸上谈兵，不足为虑。然而，事实上，日本原来的不曾经过怎样破坏的工业设备和再经加紧榨取的廉价劳动，加上美国资本和进步的技术的结果，这一两年来，日本的工业生产和制造品的输出，已见急剧的增加，美日预期的目标不难达到。

## 增产的实绩

据《东洋经济新报》的调查，以一九三一——三三年中每月平均产额为一〇〇，日本生产的总指数在一九四七年一月为五一点八，一九四八年一月为五九点八，二月六一点一，三月六八点三；矿业生产指数在一九四七年一月为六八点九，一九四八年一月为九六点三，二月为九五点〇，三月为九九点〇，几已完全恢复；工业生产指数在一九四七年一月为二二点一，一九四八年一月为二八点三，二月三〇点六，三月三六点四，恢复得也相当快。就中，石炭和钢材的增产特别快，由一九四七年一月至一九四八年三月，每月石炭产量由二百万零九千吨增至二百八十六万三千吨，钢材由二万六千九百十一吨增至七万零八百八十四吨。

据另一估计，以一九三六年为一〇〇，各部门企业的生产指数如下表：

| | 1940 年 | 1943 年 | 1945 年 | 1947 年 8 月 * | 1948 年 2 月 |
|---|---|---|---|---|---|
| 电力煤气 | 130.0 | 142.2 | 77.1 | 129.8 | 95.6 |
| 钢铁业 | 126.4 | 125.7 | 13.8 | 14.0 | 16.6 |
| 化学工业 | 158.4 | 108.0 | 23.3 | 95.7 | 69.9 |
| 瓷业 | 107.8 | 67.9 | 19.2 | 28.2 | 21.0 |
| 制纸业 | 130.6 | 91.1 | 29.4 | 31.1 | 28.6 |
| 纤维业 | 70.4 | 38.0 | 2.9 | 13.0 | 12.4 |

* 电力，化学，纤维业为七月数字，钢铁为九月，瓷业，制纸为八月。

关于日本最近工业生产和输出增加的情况，我们虽得不到完备的数字，但以铣铁，钢，煤等等而论，差不多每个月都创造了战后新纪录。它们的产额，如制飞机原料的铝的生产可恢复至年产二万吨，比战前还多。以与输出最有关的棉纺织业而论，日本现有纺锤三百六十七万锭（我国纺锤开工的只有三百五十万锭），织机十七万二千台，运转（开工）率等于全部设备的生产力的百分之七十四（一九四八年三月份）。一九四五年棉纱的产额只有四千三百万磅，一九四七年已增到二亿六千六百万磅，增加了六倍多。一九四八年的棉货生产也是逐月增加，由二月到四月，棉纱由六万二千八百包增到八万六千包，棉布由三千八百万平方码增至五千万平方码。以输出而论，一九四七年上半年棉布的输出为163，378，575平方码，至第二季一季已增至157，200，000平方码，已超出英国之上（英国为145，000，000平方码）。一九四七年八月十五日后，日本开放私人贸易，输出自更剧增。据日本贸易局长永井的报告，一九四八年五月份的国际贸易私人方面达到一千九百六十二万四千美元，比前一年九月份——恢复私人贸易的第一个月份——的一百三十五万元增加了十几倍。最近，日本与英镑区订贸易协定——今后可用英镑而不须用美元购买日本纺织品及其他货物，故永井预期一九四八年度的输出增加可至三亿六千万美元，比上年的二亿七千万美元增加百分之三十三。

甚至造船工业除了为日本自己加紧制造自五百五十吨至四千五百吨的商船外，最近还开始替丹，挪，法，比等国建造货船共达十七万二千吨。

日本的输出品通常有百分之六七十销往远东各国，随着日本经济的复兴，远东各国单在经济方面所受威胁的重大，自不待言。

# 第十章　日本开始再武装了！

目前美国扶助日本复兴，已由经济而进至军事的阶段。不管美方怎样辩护否认，硬说“没有任何人能提出日本军力之任何部分现正予以恢复的证据”（司徒雷登语），纸还是包不了火，谎言是掩盖不了事实的。

## 解除武装的规定履行了吗？

《波茨坦宣言》曾明白规定：必须完全解除日本的武装，消灭日本制造战争的力量，驱逐穷兵黩武主义者，摧毁可以使其重新武装作战之工业。依据《波茨坦宣言》，远东委员会于一九四七年七月十二日通过的对日政策基本原则，训令麦克阿瑟总部：“积极使日本解除武装，并废止军政，日本将无任何陆海空军，秘密警察组织，或任何民航机构及宪兵，而仅许有适当的民事警察。日本帝国大本营高级官员以及极端国家主义与军国主义机构的参谋领袖等应予以拘捕，并再作处置；所有战犯，均应施以严格的裁判，其中包括以残酷手段施诸联合国战俘的战犯；日本战事力量之现存经济基础，应予销毁，日本不准生产旨在维持军事力量或军事设施之货物；日本不能从事于有助于发展军事力量之任何研究。”一九四八年三月廿三日，远东委员会发表对日一般政策决议全文，禁止日本未来军事活动，前日本军阀不得在政府或教育机构中担任重要职位，并指定麦克阿瑟着手销毁日本剩余战争机构。该决议具体地规定：（一）日本除负责治安的警察得持有或购买武器军火外，其他一概禁止，嗣后禁止日本自造任何军事用品，各项航空机，暨海军作战及辅助舰船；（二）解散日本军事组织，任何时期不得重设陆海军部及最高军事会议等；（三）日本海陆空三军宪兵队及秘密警察复员人员的登记记录都应予以没收，并交给盟国最高统帅于日后加以销毁，日本今后不得再编制和保有类此性质的记录。

远东委员会的决议大体上是不错的，美国代表表面上也支持这种决议，只是为掩饰麦克阿瑟在日本所干的重新武装日本的行动。

在“新宪法”中，日本自誓“放弃战争”，“不保持陆海空军及其他战力，不承认国家的交战权”。然而，这一支票由战犯盘踞要津、军国主义的基础原封不动的日本政府发出，显然是对国内和世界的哄骗。

事实是最雄辩的，让我们缕举事实来说明。

不错，从表面上看来，日本的正规的陆海空军和秘密警察已经复员了，日本的军政军令机构如陆海军省，军事参议院，陆军参谋本部，海军军令部以至在乡军人会的组织等等都已经解散了。日本的大型军舰都已被毁，军用飞机也荡然无存。但这些门面上的“成就”还是离《波茨坦宣言》的精神和远东委员会的军事决议很远很远，何况麦克阿瑟与美政府所做的正是反其道而行呢。

## 军事机构依然存在

首先以军事机构而论，苏联代表德莱夫阳柯将军在一九四六年十月五日盟国对日委员会的会议上揭露一个事实，说："日本内阁所属的复员局（新近才撤消）便是为人工掩饰的参谋总部，在这个机关内，日本高级军官正在研究战争经验和日本军事失败的原因，可能还要制定新侵略计划。在这一个复员局中，我们找到了以前从事侦察苏联的日本参谋总部大多数军官。"美代表阿契逊虽极力否认苏代表的指摘，但第二天纽约《先驱论坛报》的驻东京女记者巴尔顿便报道："今天获悉，昨天苏代表认为地方复员局可能担任日政府与前陆海军军官间的联络工作一事，美军政府和情报人员已在调查中。"盟总一个官员承认："我们久已知道这种情况，但我们不能透露我们所知的和正在做的是什么。"

关于再武装日本的计划，麦克阿瑟早已公开声言。一九四七年三月十七日，麦氏在东京记者俱乐部致辞时说过，他很想准许日本拥有若干军备。跟着，由日本天皇裕仁为首的日本统治阶层人士，马上就开始发言，必须拥有自己的军队以保卫他们的国家而防御"侵略"了。到了同年五月，英美通讯社都盛传外务省某官员曾向各盟国人士探询，对于日本占领状态终止后，设立十万人的陆军和少数空军以防止工潮和走私，维持内部秩序的要求，将采取何种态度。其后，外务省虽加否认，但实等于“此地无银三百两”。一九四八年初，在泄露出来的日外务省密拟的对和会要求的秘密文件中，日方拟要求盟国准许日本保有若干飞机以为发展渔业及海岸巡逻之用，以及建立武装警察，并不限制人数。最近美当局强调反共反苏，积极备战，日首相芦田均便表示：日本现为解除武装国家，无力镇压共党，希望美国酌允恢复军备。

现在，占领并未终止，和约更未订立，但麦克阿瑟已实践他的诺言和逐步实现日方的再武装的要求了。关于这些，可以分做军事、经济和思想的再武装来说。

## 陆海空军的再建

以军事的重新武装而论，可分陆海空三方面加以检讨：

一、陆军——战前日本的常备军约有廿三万名，警察约六万一千余名，合计近三十万人。由战后到最近，世界有名的日本警察不止原封不动，而且大见增加。官方发表的警察数字为十三万三千名，已为战前的两倍多。非官方的估计则为二十万名，据说又要增加到三十万名。又据今年五月五日《读卖新闻》所载，单东京一处警察数目最近已从七千八百人增加到二万四千五百人。麦克阿瑟总部警政课长安顿，认为现在日本警察每二名佩枪一支，实嫌不够，应每名一支。日当局还要求发给机枪。据调查，警察成分一部分是过去老警察，一半以上是复员军人。三十万名警察便有三十万名武装人员，相当于战前常备军警的合计数。一九四八年三月廿五日国会开会时，众议员中野平治询问芦田首相，据说为准备国际非常状态，将设立特别常备部队，真相如何？当时芦田只得含糊以对。所谓“特别常备部队”当属正规军无疑。至于指挥警察的最高机构，即辖于首相的“国家保安委员会”实为变相的陆军省，各地“警官区”则为变相的军管区。一九四八年五月成立的警政大学，是变相的士官学校或陆军大学。此外更有纯军事编制的“开拓团”，人数达十二万四千（至一九四七年底止），借口集体开垦，在旧飞机场、操场上从事军事训练，实是日本旧军官潜伏活动之所，亦可注意。

二、海军——首先，以日本的海军基地而论，不独十分完好，而且扩大改善。当一九四七年初中国记者团访问日本时，他们亲眼看到“横须贺军港还未尽毁，神户基地完好无恙”。[1]据较近的报道，美军已耗巨资把日本主要军港横须贺、吴港、佐世保恢复，并加以改善，使其现代化。一九四[2]年六月十五日，美驻日政治顾问的发言人答复中国文化界的抗议也只得承认“日本少数海军根据地确有在技术上改善的必要，以便支持近代的盟国海军设备，并符合我们进步的习惯”。前一年，美众院军委会建议，上述三个主要军港应交给美国用作海军基地，日人们正以此等港口将按照美国标准建设而自傲。美太平洋舰队司令蓝姆赛曾公开在珠珍港说：“日本的佐世保、吴港与横须贺的海军基地，再加上冲绳岛、关岛的基地，合在一起，可以形成美国强大的前进基地网。在这些基地中，美国将选定东京附近的横须贺作中心。”

其次，说到舰队的重建，也在逐步进行中。日外省

[1] 见王芸生所著《日本半月》第一节“暗淡险巇的前路”。

[2] 原书如此。——编者注

密拟和平条款已表示希望有一个海岸防御队，实力足以“在领海内对付海盗和缉私”。一九四八年初，美国借口防止走私，曾将潜艇廿八艘交给日警驾驶，在日本领海、内海、日本海和东中国海巡逻。到了四月，麦克阿瑟再借词“防止走私与进入日境”的迫切需要，并不征求盟国同意，片面准许日本于五月一日成立海上保安厅，以大久保健夫为第一任厅长，下设秘书、保安、灯塔、水路四处，在小樽，盐灶，横滨，新泻，名古屋，舞鹤，神户，广岛，门司等大城市均设办事处。该厅全部武装人员现有八千人，并拥有每舰吨位数百吨（美方自认不超过五百吨），每小时可驶行一千海哩的保安监察舰共三十八艘。日本政权授权该厅将来此项舰队可增加至一百廿五艘，保安队人员可增至一万。但据苏联《红星报》的报导，拟议中的该厅人员有好几万，都将准许携带兵器以行使职权。日本报纸且有讨论以机关枪和臼炮配备这些水警者。为避免国际舆论的反对，该厅暂设于运输省内，将来再谋扩大改组，而直隶内阁。由此种种，可见海上保安厅实为变相的海军省，而海上保安舰则为重建舰队的初步。所以，日“产业别组合会议”的领袖土桥一吉也指摘日海上警察可能威胁其他远东国家。

此外，日本还有扫雷舰一百艘（美方承认不足五十艘），日本新式渔船多有武装，以及无线电和测量器具等设备。麦克阿瑟特准日本捕鲸，大可注意，因为一个日本渔业专家曾经说："捕鲸之船之勃兴，于战时即可改为输油船、大运输舰及海上修理母舰，故军事价值颇大。"由此可知战后日本打鱼和捕鲸活动的恢复，也含有军事目的。

三、空军——首先日本的飞机场，比起战时来，有多没有少。美记者康德早已指出："在日本境内，现在到处还有飞机场和军事建筑存在……从九州到北海道，随处可见战时留下的防空洞，地下工厂与司令部。"美国在日增辟的新式战略机场，异常秘密，不易得知。但至少我们知道，美国在东京湾筑有大规模的飞机场，在本州北部的青森地区已建筑庞大空军基地，后者尤引起国际上的注意。该机场名唤三泽，位于东京以北三百五十航空哩，离苏联在远东的军事前哨海参崴七百哩，在战斗机的飞行距程之内，这可见该机场的建筑主要是为对付苏联而设。美国化了一千三百万美元的巨款，动员四千多的日本男女，从事该机场的建筑。该机场总长度为九千五百公尺，有钢骨水泥跑道八千五百公尺，可供美远东空军最巨型的轰炸机的升降。迄至一九四八年五月初，跑道已完成了五千公尺，战斗机已可在该机场升降。基地应设有可存贮空军最巨型炸弹的炸弹库，喷气式机燃料贮藏区域。这消息首由纽约报纸泄漏出来，东京美当局不能不予以承认，但美远东空军新闻处长华伦说："因该机场建筑消息传出之故，空军方面颇觉不安。"（一九四八年五月四日美联社东京电）这是作贼心虚的自画像。这些事实经中国的爱国人士揭露出来之后，美驻日政治顾问也只得厚颜承认："盟国军队对日本机场的保留与维持乃军事安全范围内的问题，且亦仅限于为维护占领工作所必需的机场。"这可说是不打自招。

其次，美国之训练日空军也已有蛛丝马迹可寻。一九四七年五月，苏联《真理报》载，库页岛来讯称："据东京消息，在日美国占领军当局，现正征募前日本飞行员，包括所谓神风机驾驶员在内。美国占领军当局支给日本飞行员的月薪有高到一万日圆者。此等飞行员现正在琦玉等县之机场受夜间飞行训练。征募之举现正在北海道，四国，琦玉，群马与东京等县分别举行。受征募的飞行员在布佐，熊石，太田等机场受训。日本飞行员已组成特别航空部队，飞行则于夜间为之。”这个消息传出后，美远东空军司令官怀特赫德虽加以否认，但承认美空军所雇用的日人数千名中确有若干前日本空军飞行员及其他前航空人员在内。最近美驻日政治顾问发言人虽说前日本神风队飞行员已送到美国训练的指摘“纯属荒谬的错误”，但此说并不是无稽。据美记者凯尔恩的报道：日本神风队飞行员围绕着美军飞机场请缨，要编入部队去跟俄国打仗。又据一九四七年四月十八日美联社东京电的报道：每夜有运输机在夜航中飞过东京，日人带着阴谋的神气，抬头望望，轻轻地说：“一个新型的驾驶员（一个正在受美国训练的日本人）正在驾驶着那架飞机，我知道，美国正在利用以前的日本驾驶员来驾驶美国飞机。那些飞机是从木更津机场起飞的，我们的驾驶员每月收入三千日圆，另供膳食。”美联社说这些是谣言，但空穴来风，决不是没有一点影子。至少，美方已承认，美国西北航空公司从事训练日本的地勤人员及无线电报员，而这些人大部分为前日本空军人员（一九四八年四月十八日中央社东京电）。我们知道训练有素的民用航空人员转为军用航空是很容易的，何况谁也不能断定美国所训练的日本航空员没有军事的训练呢?

第一次大战之后的德国，由于《凡尔赛和约》的束缚，仅保留维持国内治安用的军队十万人，海空军都受限制，但希特勒还能重整军备，再起侵略，何况现在日本于投降不足三年之后，陆海空军又已具备了雏形呢。

## 军火工厂仍在开工

说到军器，日人在投降时曾有计划地在各地藏匿枪械弹药，美英占领军虽已陆续发现了数以吨计的机枪，步枪，子弹，手榴弹等，但未被破获的还不知有多少。这些埋藏着的军火，将为日本重新武装的来源之一。

但是，构成日本战争潜力的主要源泉，还是它的被保存和重建的军需工业与重工业。一九四八年初，麦克阿瑟颁布了一项秘密命令，从赔款名单中剔除了二十个坦克制造厂和四十五个军需厂，把它们的设备加以保留。军事工业如八幡制铁，日本钢管，中岛飞机，畑野坦克等工厂不但不予拆卸充作赔偿，反而加以扩充。帝国兵器第一工场，关东兵工，日本特殊钢等四十五个军需工厂，三鹰航空兵器工场等一百零八个飞机工厂，现在更大规模地增加生产。飞机工业的主要原料之铝的生产已恢复旧观。德莱柏已经声明飞机工厂要保留，不能拆充赔偿，因而连南京政府的赔偿专员也不许参观（据吴半农报告）。一九四八年一月，麦克阿瑟总部已准日本制造炸药。这一连串的事实，说明日本的军事潜力在迅速恢复之中，稍假以时日，日寇要再全面武装并不是难事。[1]

至于以思想上的武装来说，投降后的日本，实在并没有怎样解除。军国主义的侵略思想仍然在日本统治者和许多日人的心里盘踞和滋长着。

首先，一切以鼓舞日本人民再以武力征服世界的事物还是存在着，纪念日本侵略战争胜利的建筑物，没有被摧毁。所以有人说："靖国神社还供奉着历代战死者的灵位，上野公园里峙立着西乡隆盛的铜像，日比谷公

[1] 关于重工业和军需工业的复兴详情参阅第九章。

园内建筑着‘海军进行曲’的碑。这些那一件不在给日本人以军国主义的陶醉的回忆。”[1]

## 军国主义思想根株未除

关于战犯的逍遥法外，我们已在前一章谈过，即以教育的“改造”而论，军国主义的思想根株还是被保存着。就整肃军国主义教育者来说，美军占领日本的第一年，被审查的日本教师一万六千人中只有三百三十一人被认为抱有军国主义思想而被追放。据另一统计，由一九四六年五月到一九四八年三月，审查人数共六十六万余名，已被整肃的只有四千余名，还不到一成。未被整肃的一群，据说有二千余名，根本是正式军人之改业教育者。最初主持整肃工作的文相前田多闻本身曾任纽约的鼓吹战争的宣传机关“日本研究所”的所长，实无怪其然。

麦克阿瑟总部和它所聘用的教育专家虽说计划改造日本儿童的头脑，但是除了灌输了一些美国式教育的皮

[1] 见王芸生《日本半月》第三节“战后日本人的思想及其对华的认识”。

毛，并没有做了什么。军训的废除也只限于大城市的学校。以教科书的修改而论，日人对于它的侵略罪恶，还是力加掩饰。例如日文部省审阅之下编撰的日本历史教科书，《我国之进展》一书，虽已把一些神话去掉，但仍把日本侵略的丑恶嘴脸抹上一层的白粉。该书记叙“七七事变”有这样的话：

“初时，当日的日本政府力图使事件尽早解决，与中国讲和，但战争扩展下去，以致无法实现……在那种情况之下，政府宣布战争是以在东亚建设新秩序为目的。此外，它甚至宣布不以国民政府为对手。情势发展至此，日本对中国问题的立场显然与美英分歧。”

又如记叙到并吞朝鲜的史实时，该教科书只说：

“日韩进更两个条约的谈判之后，我国合并了朝鲜”。[1]

教材和教师都没有经过大刀阔斧的更动，而社会环境还是充满军国主义的毒素，日本在思想上的侵略种子，潜滋暗长的危险极大，实不待言。

另一种危险，不容我们忽视的，就是法西斯的军国

[1] 见前揭《危险来自东方》第五章“日本头脑的改造”。

主义秘密团体的复活。

## 军国主义团体的复活

在投降以前，日本虽没有像德义那种全国性的法西斯政党，但军国主义的浪人团体如黑龙会，玄洋社，及模仿德义法西斯组织的“大日本青年党”等，对于日本帝国主义的对外侵略，也尽了推动的作用，以至直接立下功劳。这些极端国家主义的团体以天皇为中心，与军人结不解缘。因而日本的法西斯主义具有封建的军事的性质。这些团体的存在和活动，既是日本民主化的阻力，同时也是培养侵略战争细菌的暖床。

即在投降之后，美占领军到达之前，这些法西斯军国主义团体还与急进军人勾结，以集体切腹自杀，暗杀，暴动，来阻挠投降的实现。麦克阿瑟总部初时虽禁止这类团体的活动和予以检举，但取缔实不彻底。由于天皇制之被保存，战犯之被纵容，整肃工作之有名无实，日本现政权之包庇，以及美日当局的反共反民主的政策的鼓励，这些反动组织，正如东风吹拂下的野草一样，又蓬勃再生了。这些反动团体多如牛毛，大小不一。已被盟总发现的只有一百七十二个。但据东京警厅所知，全国有一千二百六十个，单东京就有二百五十个单位。它们的形式五花八门，有些伪装政党公开出现，有些在各地方潜行活动。投降前有名的极右翼分子，如内田良平，笹川良一，石原莞尔，橘孝三郎，头山秀夫等依然为这些反动团体的领导者，比较著名的有“日本国民党”，“全国勤劳者同盟”，“新锐大众党”，“北日本青年党”，“农民党”，“菊旗同志会”等。构成这些团体的分子虽也有小市民，流氓，失业者黑市商人等等，甚至现政府官员也参加其中，但多是以复员军人为骨干。例如北日本青年党的党员二分之一以上是复员军人，菊旗同志会的中央委员长原是陆军一等兵，十三个中央委员中有十一人是复员军人，南九州分会的主席原是神风队员。他们的编制其实也是军事性的。复员的陆海空军都各有其秘密组织。这些反动团体所卖的政治膏药虽各有不同，但有如下的共通特点：（一）恢复旧日本，阻碍破坏新日本的发展；绝对拥护天皇制，更不消说。（二）宣传煽动国际关系的恶化将到战争的程度，希望浑水摸鱼。例如反动团体的组织者现正不断宣传美苏战争不可避免，应赶速召集编制旧日本将校，大批派遣到中国，组织训练和统率政府军作战。又如头山秀夫（玄洋社大头子头山满的儿子）公然主张日本再武装，协助美国在中国打倒共产主义。（三）反共反苏以至亲美。随着美占领军当局反共的加紧，这些团体便高揭反共的大旗，首联合组成“全国反共团体协议会”。他们甚至公开作反共（反民主反劳工）的暴力行动，真木康年所领导的新锐大众党曾刺伤左翼工会负责人听涛克已，就是最著的例。在表面上，他们以亲美为护符，但事实上却不一定如此。一九四七年天长节（日皇诞辰），“新生联盟”的盟员游行示威，竟沿途高唱其日军对美英作战时的军歌——特攻队之歌。这可见他们的心目中实没有美国。

这些以军人为中心的法西斯军国主义团体正方兴未艾，而且活动日益露骨，对于日本军事和侵略思想的再武装，当然有很大的促进作用，绝不能等闲看过。

# 第十一章　如此“民主自由”！

在战争以前，日本压根儿不是民主国家，“九·一八”以后，法西斯的“准战时体制”和“战时体制”更把日本人民所能保有的可怜的民主权利剥夺净尽。《波茨坦宣言》的第十项强调：“日本政府必须将阻止日本人民民主趋势之复兴及增强之所有障碍予以消除，言论宗教及思想自由以及对于基本人权之重视必须建立。”一九四五年十月四日麦克阿瑟自己发表手令也说：“日本国民个人的自由及人民基本权利，特别是信教，集会，言论，出版的自由，应予尊重和鼓励。”日本的“新宪法”，除了照一般宪法之例规定保障基本人权外，还承认工人组织工会，集体谈判合约的权利，及婚姻自由，男女平等的权利等等。在美国占领几及三年的期间，日本的民主化究竟有什么成绩呢？

“我衷诚相信，民主在日本业已确立了”，这是一九四七年三月十七日麦克阿瑟在东京新闻记者俱乐部中所吹的牛。但事实告诉我们日本的民主并没有确立，日本人民的自由权利却在被限制和摧残。麦克阿瑟所推行的毋宁是反民主政策。

## “民主”的外衣

不错，从表面上看来，麦克阿瑟特别是在占领的初期，已为法西斯日本披上“民主”的外衣了。这一类的措施有如下几项值得一说：(一)修订选举法，实施普选，二十岁以上的男女均有选举权，二十五岁以上的男女均有被选举权，因而有选举权者从一千五百万人增至四千三百万人，其中女子占二千一百万人；战后第一次的普选，女性获选为众议员的达三十九人。(二)释放一切政治思想犯，包括共产党在内，日共成为合法的政党。(三)废止思想警察及一切束缚思想、言论、集会自由的法令，如维持治安法，新闻及图书审查法，限制组织工会的法令等。(四)废止贵族院和贵族阶级。

然而，这些多半是门面工夫，没有好久，麦克阿瑟总部和日本政府又在种种借口之下，把人民的自由权利加以限制和摧残了。

## 劳工自由的被摧残

首先，工人的民主自由是备受摧残的。工人罢工示威的自由受到很大的限制。一九四六年工人罢工怠工运动风起云涌，币原内阁即发表了“保持秩序”的“四相声明”。币原内阁在一连串的群众示威运动中坍台之后，五月廿日麦克阿瑟总部发表了禁止多数暴民示威和捣乱的警告。恫言“如这些少数分子不自制，余为统制计，不得不讲求必要的措置”。吉田内阁成立后，于六月十三日发表了维持社会秩序的声明，强调维持治安和禁止职工参加生产的管理。这个声明事实上等于“治安维持法”的复活。但摧残人民自由权利最昭著的一件事实，还是麦克阿瑟对一九四七年二月一日大罢工的禁止。当时可能有五百多万职工参加的全国总罢工计划，不仅为着增加工资，而且有打倒吉田内阁的目的。麦克阿瑟为维护反动的日本政权起见，于一月卅一日午后二时三十分发布一道命令:“有鉴于日本现状，不许罢工。”本来，麦克阿瑟总部以秘密的恫吓来破坏罢工已不止一次，这回公开的高压行动更给反动的日本统治当局以鼓励，使其更放胆地来摧残人民的自由。一九四八年三月底日本百多万交通通讯工人为要求增加工资而决定总罢工，麦克阿瑟总部一不做二不休，又来一次明令禁止。而在第一道禁令后四十八小时，卅五万政府工人与煤矿工人宣告罢工，于是麦克阿瑟发出第二道命令，禁“一个工业或一群工业……互相关联工作有系统或有组织的停工”。一方面美国扶植日本复兴不遗余力，一方面美国“民主”的假面具也已揭开，于是芦田首相也得意忘形，于四月一日宣称：劳工法律应予修正，“以资吸引外国资本”，并宣布他本人赞成一种“类似美国塔虎脱·哈特莱法案”的法案。到了七月中，日本政府公务员和公用事业职工反对芦田政府所定的过低的工资而酝酿罢工，麦克阿瑟于七月廿二日致函芦田，命其禁止公务员罢工和集体议订合约。芦田竟拿了鸡毛当令箭，不顾全国工人的反对，颁布命令，规定政府工人没有权利以威胁（罢工或怠工）为后盾，订立限制性的集体合约。触犯者将被判处一年以下的徒刑和五千日圆以下的罚金。这道命令如被议会通过成为法律，就等于塔虎脱·哈特莱法案。同时对于工会其他方面的干涉却愈来愈露骨。例如一九四八年五月间国营铁道劳动组合全国大会，共产党系与中间派的革新同盟系结成统一战线，反共的“民主化同盟”失败，当两派斗争得最烈时，麦克阿瑟总部劳动课教育班长亲自出马，莅会演说，露骨的要求工会支持“民主化同盟”，甚至说让共产党在工会里活动，等于容许了一个“赤色的东条”。在一九四七年三四月间和一九四八年七月的工潮高涨时，遭逮捕的劳工领袖像过去一样被拷打，有些还被美军法庭借词“妨害占领”判处苦工监禁。

## 日共所受压迫

共产党在名义上是合法的政党，但受到歧视和压迫。例如芦田在就职后对议会第一次演说就发表许诺说：“鉴于某种分子，传布有害影响，鼓动劳工争议，引起社会不安，工业阻滞等事实，对此种活动决采取坚决步骤。”所谓某种分子，是指日共。又如美日当局曾禁止日共定于一九四八年二月十四日在东京举行会议。芦田更于五月二十日在议会公开扬言将在官公职人员中肃清共产党分子，后以日共议员的严诘，芦田只得改口仍承认日共为合法政党，没有“考虑”排除日共于官公职之外，只对此事加以“研究”而已。

法西斯分子曾谋杀日本左翼工会领袖听涛克己，袭击工会的会所以及北海道的共产党党部。这种行动完全获得日本政府的援助和麦克阿瑟总部的纵容，也可说是摧残民主权利的一种方式。一九四八年七月十九日，日共领袖德田球一在佐贺县被一个法西斯青年炸伤，美国共产党曾公开指出，这是出自美国的唆使。

## 言论新闻自由备受摧残

至于言论和思想的自由，也并没有真正的保障。不错，投降以后日本共产党已有它的日报《赤旗报》和机关杂志《前卫》了，左翼的刊物书报已如雨后春笋般出现于日本文化界。在书店里，关于社会科学的书很多，马列主义的书陈列一片。然而，麦克阿瑟所布思想和新闻统制的网，并不见得比战前日本所布的松多少，而且一天比一天密起来。

麦克阿瑟总部是有新闻检查所的，检查官的检扣删削新闻真可以说得上“宁枉毋纵”，一九四五年九月十八日颁布的出版法规定新闻要忠实，不许渲染，禁止足以扰乱社会安宁的东西，或批评盟国，或导引“不信或愤恨”占领军，但是，事实上检查官并不依照这些标准，据《纽约时报》记者克兰（B. Crane）检视了六十条被盟总检扣的新闻，发现只有两三条好像是违反出版法的，所以，劳特巴赫说得好，麦克阿瑟检扣新闻的理由有些时候只是代表个人的偏见。[1]例如日本《时事新报》于一九四六年十月三日发表一篇社论，警告日人不要相信麦克阿瑟是活神，已给盟总检查所通过刊登出来。英文《日本时报》准备予以转载，并加上一点适当的评论。社论送交检查所通过了，但该报印刷以后，占领军官员赶到印刷厂里把所有的报纸都没收了。这是一个典型的

[1] 见前揭《危险来自东方》第四十六至四十七页。

例子。在军事安全的理由之下，凡攻击天皇或有利于劳工的新闻言论都被检查所删削，甚至来自美国的新闻也横遭干涉。华莱士辞职前致杜鲁门总统书以及其后的演说，在东京被检扣了四十八小时。当这些东西最后放行的时候，已被割成碎片，不能卒读了。关于美国劳工运动的新闻，常被禁刊。一九四七年元旦，美国产业职工大会主席摩莱向日本劳工致贺辞，给盟总检查所扣了几天，把涉及民主的字样都删除之后才放行。产业职工大会对于塔虎脱·哈特莱反劳工法案的声明，麦克阿瑟总部也不许自由主义的《民报》刊出。最近“盟总”名义上虽说取消新闻检查，但实际上仍存在。

除了检查之外，麦克阿瑟统制日本新闻的巧妙办法是操纵白报纸的配给。反动的报纸如《朝日》、《每日》等获得大量的白报纸配给，销数逾一百万份，而左翼的报纸如东京《民报》因白报纸缺乏而只印十万份。[1]

本来，在占领的初期，日本一般报纸有左倾的趋势。

[1] 见一九四七年十二月六日《密勒氏评论报》的社论，又在占领的第一年，主持白报纸配给委员会，由自由思想的日本人控制，削减右翼大报的配给额，而增加新的进步报纸的配给额，但麦克阿瑟大不以为然，下令改组该委员会，排除进步分子。

一九四五年底，日本新闻从业员工会有见于盟总迟迟不把报界的军国主义者排除，曾举行长时间的罢工，迫使那些应列为战犯的报馆当局辞职和要求改变编辑政策。首先获得成功的是有名的黄色新闻《读卖新闻》，反动社长正力松太郎被迫辞职，职工参加管理，自由思想的铃木东氏主持编辑，面目一新，销路大增。这种斗争且扩展到《朝日新闻》和其他大报去。这使麦克阿瑟害怕起来，下令革除和逮捕了《读卖》六个工会领袖。其他报纸的许多工会领袖也被革职。结果《读卖》、《朝日》、《每日》等大报依旧为战前的旧老板所拥有，面目言论几一成不变。

## 新闻记者们的厄运

甚至美国记者在日本的报导自由也备受限制。麦克阿瑟总部是不欢迎以至讨厌记者的。各组主任没有总部的许可，就拒绝和外国记者谈话，据说，麦克阿瑟曾拍给陆军部一个电报，宣告他并不欢迎不利于他的占领的若干报纸代表前来日本，这些报纸包括《基督教科学箴言报》，纽约《先驱论坛报》，芝加哥《太阳报》，旧金山《纪事报》，纽约《下午报》。麦克阿瑟总部借口东京房屋缺乏，不许更多的记者留在日本。他颁行旅行限制办法，使一度离日到远东别地旅行的外国记者不再回到日本来。

《先驱论坛报》记者凯来（F. Kelley）曾详述过麦克阿瑟统治下新闻检查制度被滥用的情形。《箴言报》的特派员瓦尔克（G. Walker）对于占领的优劣点拍发过许多分析深刻的电讯，但当他打算从另一国家回到日本时，他的护照曾一度遭麦克阿瑟扣留，他唯一的罪名就是写劣点和优点都“缺乏爱国心”，还有，我们在本书屡次提及的前《密勒氏评论报》驻日记者康德，也曾在美国报纸写过批评盟总检查日本报纸的文章，揭露吉田内阁对待侨日朝鲜人处理失当的情形，以及对麦克阿瑟的占领有过种种辛辣而恰当的指摘，他虽然在一九四六年七月得到记者许可证，但突然在一九四七年三月接到通知，他必须离去。给麦克阿瑟赶走的美国著名记者还有《新闻周刊》的柏根汉（C. Pahenham），哥伦比亚广播公司的柯斯特罗（W.Costello），远东问题专家 A. Roth

等。“盟总”对待说公道话的记者的办法，除了驱逐之外，是在美国报社的编辑或老板那里大说坏话，撤回住屋，以至恫吓送上军事法庭；每月都有“故意记者”的黑名单，分送各地，以断绝特派员的新闻来源。美国式“新闻自由”本来就是假的，在日本更给麦克阿瑟打出原形，丑态百出。东京的外国记者俱乐部曾屡为此种不当的干涉提出严重的抗议，有时麦克阿瑟迫得让步，有时却悍然不顾，康德之不因外国记者们抗议而被允留在日本，就是一例。一九四八年二月十九日，东京各盟国记者以长二千五百字的抗议书致送各报主笔协会和联合国新闻自由委员会及麦克阿瑟，控诉“盟总”对各报作间接的检查，并恫吓压迫盟国驻日记者。但这种控诉的效果还是很微，麦克阿瑟还是一意孤行。

## 其他的钳制

在日本，出版的自由，也同样可怜。虽没有焚书之举，但“盟总”却曾要浇好的铅版熔毁掉。为着阻止进步的书刊流传，麦克阿瑟总部在种种借口之下禁止或留难书的出版。史诺的《红色的中国》的日文版是最畅销书之一，但他的第二本书《对亚洲的斗争》日文版就被麦克阿瑟的检查官熔掉了铅版，理由是“会引起危险的思想”。他的另一本书《在我们一方面的人民》的日文本出版也碰着困难。“盟总”还颁布一条似乎很堂皇的法律，凡日本人要翻译外国书籍，必先呈缴该著作人允诺的证件。这显然也是为限制外国的进步书籍的翻译而设，因为，比方说日人要翻译斯大林的著作，就要先得到克里姆林宫的允诺，那自然不是容易做到的事情，翻译家只得放弃不译。

其他的思想统制，同样严密，经济安定本部初时还有一些同情社会主义的专家做事，栗栖赳夫做了长官之后，他们被清除出去。鼓励自由讨论和宣扬民主的青年教师，常被戴红帽子而被辞掉，进步的学生也常被开除。思想统制的严厉，由归自苏联的日侨所受的待遇，特别可以看出。被俘的关东军在西伯利亚过的是自由而愉快的生活，可是，当他们中有二千个于一九四八年五月间进入舞鹤港的时候，税关立刻下令没收所有苏联出版的新闻，杂志，图书，上陆之后全体在指定地点集合，一连举行了两天的“思想检查”，还要经过文部省特派员的训话，做完这一套手续之后，才每人发给一点日用品和文部省特别编印的新闻材料一份，然后准许各人回籍。

戏剧电影的检查，也够严厉。占领初期，美国兵曾经上演过独幕歌剧“御门”，因为这剧涉及天皇，从前是被禁演的。一九四七年七月，一家日本公司准备第一次上演这出音乐讽刺剧的时候，“盟总”就以保护天皇和皇族自居，出面代为禁止上演。有一个名唤《日本的悲剧》的新闻纪录电影片，描写天皇在战争中的作用，也遭禁止。在追述第一年占领的事迹的新闻纪录片中，凡大群众的场面都被削去，其理由是因为它们有煽动性。新近东京宝塚的演剧部和电影部忽然宣布，为了“整理营业”，决定裁员九百八十余名，被裁的都是比较进步的分子，可见日本也正演着好莱坞肃清左派分子那一类的把戏。

战后日本人民所得的区区民主自由，就是这样的被摧残，被干涉，现在几已荡然无存了。

# 第十二章　日帝的防毒剂——日本人民力量的抬头

纵然美占领军当局对于《波茨坦宣言》中促进日本民主化一项规定的执行只是假装的，纵然不须很久，美当局就证明它自己所努力的倒是扶植反民主的力量，摧残人民民主的权利和自由，但是投降以后，日本的人民民主力量却依然在生长，而且可以说是空前的强大。这表现于日本无产阶级政党的日本共产党的发展和健斗，表现于进步的工农组织——尤其是工会组织——的突飞猛进，和工农斗争的猛烈展开。

## 民主力量强大的原因

今天日本的民主力量和民主运动所以蓬勃发展，其原因是不难明的。（一）日本工农大众虽则受反动统治者的压迫和社会改良主义者的欺骗出卖，但也有革命斗争的传统，在战前也存在过人数虽少而斗争性强的工人运动，以及百折不挠屡仆屡起的共产党地下组织。有一个时候，在青年中间马列主义的传播与研究比其他国家还普遍。战前这种传统，正构成了今天的发荣滋长的民主运动的种子。（二）日本统治者多年的侵略战争并没有使人民大众的生活有所改善，而只带给他们以败降的屈辱，以及败降后悲惨的经济状况，这自然提高了他们的政治觉悟，使他们识破了统治者的欺骗，从而把自己组织起来，以自己的集体力量，从事经济政治的斗争，来改善自己的生活。（三）败降以后，统治者还是从前的统治者，而且旋即故态复萌，对人民的压迫和剥削与前无异，有些地方甚至变本加厉。在“民主”的外衣底下一切资产阶级政党都是一邱之貉，贪污腐败，敌视人民，即社会党也不能够掩饰它为资本家服务的真面目。这自然使人民不满现状，而图实现真正民主政治，来推翻现状。（四）在第二次大战以后，世界民主运动的进展，特别是中国的民主斗争的胜利，给日本人民以感召和鼓励。

有了这四种原因，美军当局在占领初期所做的一些民主表面功夫，便像在堤坝上打开一个小缺口那样，使日本民主洪流泛滥了开来，终于汹涌澎湃，已不是任何堤坝所能遏止了。

## 日本共产党

日本共产党无疑的是站在真正民主运动的最前面。这个由多年的地下斗争和牢狱生活转而成合法政党的共产党，虽比中国、义大利、法兰西的姊妹党还小，但发展之速却几乎是空前的。日共的公开活动始于一九四五年十月二日，那时正式党员只有一千二百人，经过两年半之后，日共已发展到拥有十余万党员了。在战后第一次的普选中，日共获得二百一十万的选票，六席的众议员，位列第五党。第二次大选略见挫折，但大选以后，日共在群众中的威望和影响倒日见增加。拥护日共的有组织的工农群众已达三百万以上，教师、文化工作者和青年知识分子还不计算在内。它的机关报《赤旗报》拥有数十万的读者。有名的小说家森田草平和哲学界泰斗的出隆教授，年纪均在六十以上，现在都加入了共产党。

现在日共的领导人物是德田球一（总书记），曾在监狱里熬过十八年的悠长岁月，绝不妥协变节，到了日本投降后才恢复自由。德田在佐贺演讲而遭法西斯暴徒行刺时，炸伤了十八处，仍直立不倒，继续讲下去，至讲完为止，这充分表现出他的勇毅的精神。于战后自中国回到日本去的野坂参三（即冈野进）任宣传部长，是党内的第二位领袖，对于日共政治路线的拟订有颇大的影响。主编《赤旗报》的志贺义雄，名作家宫本显治，藏原惟人都是该党的重要领袖。这些领袖都可以自豪的是始终一贯地反对日本军阀，反对日帝的侵略的。

以日共的政治路线而论，它当前所要求的是彻底的民主革命。除了要充分保障人民的自由和认真改善人民生活之外，它的政纲有如下的特点——

（一）在政治上：

（1）打倒天皇制，树立人民共和政府。

（2）严正实行《波茨坦宣言》，支持民主主义诸国的和平政策。

（3）废止现行的新宪法，制定根据民意的民主宪法，设立民主的一院制。

（4）集合一切民主主义的势力，结成人民战线。

（二）在经济上：

（1）一切寄生的土地所有，全部无代价没收，无代价的分配给农民，取消高利贷及农民所负银行的债务。

（2）反对强迫征实征购，反对地主官僚的农民机构，确立自己的农民组织。

（3）银行全归国有，由人民管理。

（4）食粮及其他日用品必需物资亦由人民管理。

（5）劳动人民管理重要企业，由人民共和政府施行统制。

这个作为工农前卫的群众政党是极富于斗争性的。他们是站在劳动者和一切劳动大众的前头，为他们的日常要求而展开经济斗争，把握斗争的指导权。投降以后每一次的大罢工或群众示威，差不多都由日共领导。在一般政治上，日共是彻底反封建反法西斯的。日共力图把人民大众的不满情形，转化为打破天皇制，根绝帝国主义的政治斗争。也许在初时日共对于天皇制的革命的立场，不能一下子为人民所接受，但它把天皇制与天皇分开来处理，认为天皇制必须打破，而天皇的保留与否由国民公决的现实主张，却渐得到人民的同情。

以日共所努力的人民统一战线而论，在占领的初期，曾有酝酿，但以社会党右翼领袖坚决拒绝日共这种要求，遂未成立。一九四六年，野坂参三和老社会主义者山川均发起的“民主人民联盟”，虽是一个统一战线的雏形，然没有广大的群众基础，社会党又拒绝参加，另树“救国民主阵线”的旗帜。该联盟本身分子也太复杂，像石桥湛山那样的财阀代言人也曾参加进去。这个组织后来还是夭折了。到社会党跃为议会第一党，社会党左派宣布与共产党绝缘，共社成立统一战线的希望更断了。不过，日共所坚持的统一战线政策，在工农群众中显已著有成效。

由于日本是在被占领的状态之下，日共的政治纲领虽拥护《波茨坦宣言》，但没有对于美国的公开反对。自美国扶日复兴的政策变本加厉以后，日本统治阶级如醉如痴，借口“导引外资”，一方面加紧对劳工的压迫剥削，他方面表示甘受美帝的长期控制。日共野坂参三乃发表时局主张，指摘芦田内阁倚靠外国的买办政策，间接表示了反对美国奴役日本和利用日本作工具奴役亚洲的政策。野坂指责芦田的买办政策（一）将削弱日本的经济和丧失它的独立性，从而当然要丧失国家的独立；（二）使日本不仅向外国乞食，而且成为国际纷争的中心，扰乱了国际间的合作与和平。所以，野坂说，日共主张以自力更生重建日本经济，动员和利用所有物资与人力来进行恢复工作，自力不足之处才要外国援助。照野坂的意见，日本并不是反对外国的投资，但认为必须依照如下的条件：（1）投入的外国资本应当全部用于恢复日本经济而具有追求和平的目的，不能掺杂着其他任何政治意图；（2）当吸收外资时，必须保证日本的独立主权；（3）投入的外资必须置于人民的管制下。日共并反对以奴隶劳动为基础的对国外市场的倾销。

日共的力量已逐渐强大，日共的政治主张又如此光明正大，所以它的发展与成功，确是远东和平的基础之一。李纯青先生说得对："今天我们反对麦帅管理日本的姑息政策，是反对其保护法西斯残余，培养保守势力与军国主义。日共，也只有日共，态度跟我们一致，若将来再有战争，就是说，日本帝国主义再起侵略，或跟随美国作战‘报仇’，为祸中国，日共，也只有日共，会坚决起来反对，做中国人民最可靠的朋友……改造日本的伟大责任，实际也就落在日共肩上了。”[1]

## 劳工运动的发展

日共的群众基础是日本的工人阶级，日共目前努力的中心是劳工运动。有组织的工人运动的发展，构成日本民主的堡垒。

日本资本主义虽有高度的发展，但职工会却从未在日本工业社会中植下深固的根据。二十世纪二十年代之初，职工会运动已被遏制，到了三十年代之初，日本职工会运动再抬头，但是组织在职工会的工人，还未超过四十五万人，约等于当时日本全体工人百分之八至十。改良分子之过多，以及他们之极力阻挠工会之统一，也妨碍了战前职工会运动的发展。随着日本战时体制化（法西斯化），职工会再被压迫，成立普通工会和集体议

[1] 见《世界知识》第十七卷第廿二期“日本共产党现势”。

订合约都在禁止之列。战争期间，只保存在着模仿纳粹，为侵略战争服务的“劳动阵线”组织。

日本投降以后，美日当局不得已撤消反职工会的法规，职工会便像雨后春笋般簇生和活动起来，日政府马上通过法律来限制职工会的活动，也不能遏止它的蓬勃发展。到一九四七年五月，日本已有一万九千个职工会，团结着五千五百万人。据最近（一九四八年六月）的报告，地方工会增加至三万个单位，包罗六百五十万的工人。像这样的数字，比起有强大的工会的法义两国，已无愧色了。战后日本工人生活没有改善而且更加恶化，[1]促使日本工人谋以组织的力量改善生活，是职工会运动急剧发展的主要原因。

然而，像其他资本主义国家那样，战后日本的工人组织仍然是分裂的。受了右翼社会党影响的一些工会，组成了“日本劳动总同盟”。这些工会都依照地域的原则建立起来。“总同盟”的会员共有九十万人。会长是社会党的右翼领袖松冈驹吉（现任众议院议长）。“总同

[1] 战后，日本的童工女工仍很普遍，目前工人的工资为战前水准的五十余倍，而物价已涨达战前一百一十多倍，每日工作时间普遍是十二小时。

盟”是改良主义黄色工会的集团，反对政治的斗争，而仅标榜经济斗争，但即所谓“经济斗争”也是与资本家协调。松冈们反对职工会的统一，因为他们恐怕这样子一来，下级工会就会摆脱他们的影响。

可是，进步的职工组织是强大而发展的。一九四六年八月，煤矿，五金，铁路，通讯，纺织，码头，印刷等二十个职工会组成了“产业别组合会议”，最初包罗了一百五十万工人，团结了差不多日本产业工人的半数，不论在组织的质与量上都占着第一位。它的纲领反映出日本广大工人群众的要求与愿望。纲领强调政治的斗争，指出职工会应当成为反封建主义、军国主义及法西斯主义斗争的推动力量，应当建立民主的统一战线，用全力去树立全民支持的民主政府。“产业别组合会议”前一任的主席是曾被反动暴徒刺伤的听涛克己[1]，现在的则为菅道，它的理事虽多不是日共党员，思想上则在日共的影响领导之下。由于它确实为工人谋利益，加盟的工会日益增多，所包罗的工人已增到三百万了。有组

[1] 听涛克己年四十四岁，出身神户教会学校，曾任《朝日新闻》驻伦敦记者，最初组成“全日本新闻无线电工会”。

织的政府公务员和公用事业职工二百四十万人殆在它的领导之下。

除了“总同盟”和“产业别组合会议”以外，还有几个职工组织结合成的日本劳动组合大会（约二十万人）及所谓独立部门的职工联合会。

不管“总同盟”的领袖们怎样破坏工人的团结和工会的统一，但职工会权利之被蹂躏却使工人们痛感有强化团结之必要。一九四七年二月三日，全日本劳动组合会议召开第一次会议组织委员会，参加的有三十三个大工会和工会联合会的代表一百人。在世界职工联盟代表访日的前夜，到了三月十日，正式成立“全国劳动组合联络协议会”，参加的有三十八个主要工会联合会，除了“产业别组合会议”之外，还有全国劳动组合大会，全国国营铁路劳动组合，全日本教师组合联合会，官公厅劳动组合协议会等，所代表的职工达三百余万人，即“劳动总同盟”的领袖在群众压迫之下，也不能不加入（虽然其后退出）。这是产业职工会统一运动史上一件值得秉笔大书的大事。到了今年五月，日本劳动人民更有“工农联络委员会”的组织，计划把统一战线扩展到农民方面去。

随着职工会组织的扩大与强化，大罢工和示威便成为投降后所惯见的现象。罢工是在保障八小时工作，规定最低工资，订立集团合同，实行工人监督生产，反对无理开除工人等口号之下举行。由于一九四六年中以来，日本反动派转向劳动人民展开攻势，罢工的规模越加增大和强于政治性。一九四六年的“十月攻势”，一九四七年二月一日全国五百万人大罢工的酝酿，一九四八年三月底，百余万交通通讯工人大罢工的准备，同年“五一”东京五十万工人的大示威等等，特别表现出日本工人组织的力量和斗争性。有组织的日本工人曾与其他阶级不满政府的人民联合起来，要求打倒反动的吉田内阁，反对片山内阁出卖劳动大众的政策。罢工是常获得胜利的，一九四六年十一月，十万铁路工人五十天的罢工终达到目的，是一个例子。这使到麦克阿瑟总部害怕起来，说罢工是“致命的政治武器”，而多方设法加以禁止和破坏。美日当局除了以立法或命令来取缔罢工之外，动辄借故把工会的领袖开除。但工会并不因这种高压而松弛斗争，他们采用“山猫”“活塞”式的机动性罢工，来回避总罢工的禁令，而达到正当防卫的目的。日本有组织的工人这种顽强的斗争性，实是阻止美帝奴役日本和重建日本侵略力量的一个有力的保证。

## 农民组织

比起工人来，日本农民是落后的，散漫的，然而在投降以后，日本的贫农佃农也有了他们自己的组织——日本农民联盟，为了保卫被地主侵犯的贫农佃农权利而斗争，为进步的土地改革和国家民主化而斗争。它的队伍一天一天地强大，会员人数从一九四六年五月的六百万人增到现在的一百二十万人以上。初时，它的主席是社会党右派领袖平野力三（现已为社会党开除）。这个亲法西斯的领袖和他的同道曾企图把农民联盟变成一个和地主官僚“和平合作”的组织，但这个组织的下层却很早就发生了反对派，平野无法操纵，在它的领导之下，贫佃农们展开了反对地主专横的斗争。单在一九四六年的上半年，依据政府极不完全的统计，就发生了八千一百四十五件的租佃争议。若干地区的农民拒绝向政府缴纳谷物，因为政府没有尽责对农民配给肥料和耕畜。

随着日共对农民联盟的影响之增大，平野的领导地位日益动摇。在一九四七年二月举行的大会中，平野竞选主席失败，社会党的“纯正左派”领袖黑田寿男（现在也被社会党开除）当选为主席，平野且被开除会籍。事后，平野企图分裂农民联盟，也没有什么成功。在同年四月大选以前，农民联盟也提出自己的代表参加竞选，同时也支持民主党派推选的代表。它的竞选口号是实行进步的土地改革，保障农民必要的原料、工具和肥料，国家和地方劳役的地主化，地方自治机构的民主化等。

一句话，摆脱了右派领导的农民联盟，已努力于国内民主统一战线的建立，地主统治的迅速扫除，以及日本的真正民主化了。

## 知识分子的组织

至于日本学生和教师，在战后也组织起来，而且日趋于左倾。一九四八年六月十六日，日本全国国立大学和高等学校一百五十所学生约二十万名，主要为反对政府增加学费而实行全国罢课，这是日本空前未有的事。学生提出的口号中还有“反对干涉学问自由和学生自治活动”。在罢课学生的街头演说中，有大喊反对美国和反对采取美国式教育制度的；美国占领以来，日人公然喊出反美口号，这也是第一次。七月中，日本全国大学和高等学校的教授教师五万人，也为要求改善待遇而罢课。日本社会的斗争这样剧烈，正反证美国和日政府的高压政策之心劳日绌。

# 第十三章　日本野心的再暴露及其反响

从上头的论述，我们已可看见，在美国片面管制之下，日本帝国主义的基础还是差不多原封不动，《波茨坦宣言》已变成废纸；在美国锐意扶植之下，日本经济已在迅速复兴中，甚至武装的恢复也已在积极进行之中。

但是，我们当不会忘记，在它投降了三年之后，日本至少在法理上依然是我们的敌国——是中国，远东各盟国以至美国的敌国，因为对日和会还没有召开，对日和约没有订立，在国际法上盟国与日本的敌对状态依然存在。

## 和约问题

是的，关于对日和约的初步探讨早已开始了，但以美国专横独断之故，盟国环绕着对日和约而展开斗争，对日和约问题已被搁置下来。

在初时，美国企图早日召集对日和约的会议，在有利于美国和日本的情况下草拟和约。一九四七年七月十一日，美国就对日和约的初步工作提出一个具体的照会，分送远东委员会的中，英，苏，法，澳，纽，加，印，菲，荷等十个国家，建议远东委员会全体委员国的代表于八月十九日在旧金山或华盛顿举行准备对日和约的会议，美并主张会中取消四强的否决权，而行使出席委员国三分之二的多数表决。美认为对日和约应由与日作战的远东十一国共同起草，而不应由四强负责。美国如此主张显然因为远东委员会其他十国，除了苏联以外，不是美国事实上的殖民地（如菲、加、中），就是在经济上须倚靠美国（如英，法，荷，澳，纽等），可以任美操纵之故。

对于美国这一建议，英澳纽加等国大体上赞成，但主张会议稍迟举行，并应由十一国的外长（不是美方所说的代表）集议，订定和约原则。

但是，苏联于七月廿七日答复美国，坚决反对美方的建议，苏联的理由认为：（一）四强曾于一九四五年十二月莫斯科会议上决定，四强参加盟国对日管制委员会，远东委员会的决议必须获得四强的协议，故关于对日和会的召集，必须先由四强共同决定，而不应由美国单方面发出请柬。（二）外长会议原旨在于作为草拟和约的预备者，依据对德和约程序，应先由外长会议草拟对日和约。苏联并建议，关于准备对日和约的外长会议召集日期，应由中英苏三国驻美大使与美国代表商定。

苏联这种“反建议”于八月十三日遭到美国的拒绝，美方甚至表示不顾苏联是否参加而召开远东委员会全体会议。但苏联于八月廿九日向美提出备忘录，坚持原议。

中国政府初时表示大体上赞成美方的建议，只主张十一国中三分之二多数表决通过之议案，须再经东京盟国对日管制委员会四强中三强之同意。其后，一方面由于国内大部分舆论的反对，他方面因为南京企图借对日和约问题要挟美政府大量的援助，便发表一种“折衷”方案，即主张邀请远东委员会十一个国家参加起草和约会议，但一切决定均应获得四强的支持（四强仍保留否决权），同时并表示不出席没有苏联参加的对日和会。

美国认为南京政府这种姿态是一种“勒索”，在美国给它相当的经济援助之后，南京便可能让步。十一月廿七日，苏联答复南京照会，建议中英美苏四国外长于一九四八年一月在中国开会讨论日本和约之准备问题，美国南京均不表同意。因此，对日和约初步会议的召开，尚遥遥无期。

在美国，主张与德日单独订立和约的大不乏人（胡佛就是一个），一九四八年七月廿三日合众社东京电传：“美国在某种情形下，或将立即与日本签订和约。”不过，美当局目前敢冒此大不韪与否还是问题，所以国务院连忙叫驻华大使司徒雷登出来否认。但是，无论怎样，美国已准备长期占领日本，化它为殖民地，而任和约问题延搁下去。日本政府也希望在美国长期卵翼之下，把经济军事的基础打好，而把国内民主力量消灭掉，乐得和会迟迟不开。日方已明白地说：“日本与太平洋各盟国极可能永不签订和约，再延宕若干月之和会，届时已不具何种意义。”但英澳等国则要求提早签订对日和约，贝文且赞同不管苏联参加与否，早开和会。至于南京政府放弃上述的“折衷”主张而完全附和美国的消息更时有所闻。不过，没有苏联参加的对日和会，等于白开，对日和约问题只有无限期地搁起来。

## 侵略野心的复活

然而，尽管日本还是“敌国”的身份，日本已经是故态复萌，野心复炽。虽然在占领的初期，日本对盟国甚至对中国都卑躬屈节，对他们的宽大表示感激，然而没有多久，除了对美国还貌为恭顺之外，对其他盟国已是目空一切。由于美国派给它以“亚洲工厂”和“亚洲反共堡垒”的地位，它又俨然以东亚的领导者自居。所谓工业日本，农业中国与亚洲，日人已放言无忌。在投降初期，日人称我华侨为“中国人”，现在则恢复“支那人”的称谓，或与朝鲜人和台胞同称为“第三国人”，以别于美英等盟国。在日华侨地位的低落与前无异，依然不时被日当局歧视，迫害。侨商违反黑市的禁例特别受到重罚。一九四六年七月十九日东京涩谷侨胞摊贩遭日警枪杀拘捕的惨案，更可看日本的排华情绪。载运海南铁砂到日的中国商船也要遭日警严密监视。一九四八年四月，日本借口朝鲜人学校不遵守日本教育法例，加以封闭，引起神户等地朝鲜人的大骚动，朝鲜人被捕杀者甚众。这事件显示日本依然视朝鲜人为殖民地人民，欲继续加以压迫和同化。据盟总法制局中国课长童维纲称："一般日本人民对中国政府在审讯日本战犯方面之宽大态度，并不感激，反觉中国政策之软弱，以为中国政府深恐日本将来一旦复跻于列强之地位时加以报复。"（中央社一九四八年五月十六日电）这很可以表现出日本的"狂奴故态"。

至于日本的侵略野心的复活，也已经有许多迹象可寻。日本备有测量仪器的武装渔船，频频侵入我国领海，南到海南，北达胶东，已是周知的事实。对于已被剥夺的旧属地，日敌更是不能忘怀。众院老议员尾崎行雄曾公开主张朝鲜、满洲和台湾将来应举行公民投票，以决定是否仍归属日本。币原前首相参加的座谈会主张日本将来再参加我国东北的"开发"。去年（一九四七）底，日外务省所草拟的关于和约的秘密备忘录，除了要求避免由盟国管制委员会实施和约条款，盟国不得干涉日内政，削减赔偿，保留武装等等之外，还要求继续保留千岛群岛，琉球群岛，小笠原及附近岛屿，可能包括硫磺岛在内。芦田均在任外相时已公然要求苏联归还千岛，和日人在台湾保有特殊“殖民权”。在就任首相之后，芦田均于一九四八年四月八日对中央社记者表示，希望收回苏联所占若干岛屿和扩大渔船活动范围。他说苏联于日投降后占领之北海道以东各小岛，无论在地理上，法律上，或历史上均不是属于按照战争结束前盟国协议划归苏联之千岛群岛。关于渔权问题，他说，日本渔船活动范围甚小（！），仅能达白令海南太平洋及中国海岸之少数地区，然因日本人民仰赖海产为食物，希望渔区可以扩大。新近东京的《新中国杂志》撰文倡言“美国应援助日本复兴，日本则将援助中国之经济复兴”。其特别提出日本援华之理由有三：（一）“日本在应用科学方面较中国更进步”；（二）“中国历来派遣留学生赴日，有时多至三万，他们认为日本是远东的西方科学与文化基地”；（三）“日本不仅在华投有巨额资本建立铁路，工厂；且曾派大批专家使此种事业进行……日本在太平洋战争中失败，并未使中国停止期望日本之领导，将来重建经济而发现需要技术上的援助时，势必呼召日本专家协助。”此外，在美方宣布日本人口过剩粮食不足之后，日本《东洋经济学者》杂志已公然提出移民二千万到国外去的要求了。

更可注意的，日本帝国主义过去干涉我国舆论的横暴态度现在也再暴露出来。当今年五月间南京当局发表演词表示不变对日宽大政策之后，芦田均对中央社记者发表谈话，一方面佯示“感激”，他方面却说，最近中国报纸与此政策相反的言论，“迄今已引起日本国内之不安”。日敌不忘干涉我国之心不是昭然若揭吗？

一句话，随着美国的纵容鼓励，日本包藏的侵略野心已不能自掩，而且胃口愈来愈大了。

## 国际的反响

正因为这个缘故，盟国朝野反对麦克阿瑟扶日复兴政策，对日帝卷土重来的危险提出警告的声浪，一天比一天响。

不管美国当局和华尔街的代言人怎样为扶日政策辩饰，有眼光的美国人士还是对美国的养虎为患的政策加以批评。例如美远东问题专家拉铁摩说:“假使你拿日本工业和美国比，那就等于对自己开玩笑。必须把日本和它的亚洲邻国相比。它有很多工业劳动者，有大批技术知能丰富的管理和生产人员。几年之内，它又能在亚洲大部重握工商业霸权。日本的工业会变成一颗定时炸弹，在十年或二十五年后爆炸！”阿诺尔德（David Arnold）说:“华盛顿的政策，即对美国本身安全也是一大威胁。杜鲁门主义者赠给日本的刀锋，现在指着苏联，但那个刀锋终有一天会转向美国本身，这即是法西斯主义者的老习惯。”美众议员沙多斯基（Sadowsky）也于今年五月十日宣称:“太平洋地区人民对于美国恢复日本军力的忧虑，不减于欧洲人民对于美国复兴和重新武装德国的忧虑。”美人在沪办的《密勒氏评论报》，除了不时刊载康德（Dauid Conde）、狄恩（Hugh Deane）等驻日记者暴露美国对日错误措施的文章之外，还大声疾呼:“监视日本鬼子！”（Watch the gaps）“制止日本鬼子！”（Stop the gaps）的口号。

在其他盟国中，苏联在东京四强管制委员会和华府远东委员会的代表，为贯彻《波茨坦宣言》管制日本的规定而作韧性斗争的事实，已是“众所周知”，苏联报纸更不断地暴露和抨击美国纵容扶植日本、一反《波茨坦宣言》的种种措施。例子太多了，不必在这里详述。

甚至于在澳洲和英国，美国对日政策也引起不安。虽然澳外长伊瓦特去年访问东京，与麦克阿瑟会晤之后已经软化不少，但澳洲舆论对于美国对日政策的抨击或不满仍时有所闻。曾任东京盟国对日管制委员会英国代表的澳人鲍尔可说是美国对日政策的批评者，他在《日本杂感》一文[1]中明白表示：“因为我不相信日本的统治者已有了什么重大的改变，所以，我认为如果骤然下结论说日本不会再成为一个黩武的强国，那实在是很冒险的。”今年七月初，澳洲国会代表团七个团员，因曾与天皇握手，遭到澳洲报纸的攻击。《雪梨电闻报》说：“我们不需要代表我们的人物给予日本领袖们以些微的表示，说我们的耻辱已成过去，他们现在九十度的鞠躬和带着虚伪笑容的道歉，便可以使我们觉得满意。”以英国而论，不管贝文怎样追随美国，英国工商业家，特别是纺织业家——不能不对美国扶日政策表示不满以至

[1] 见前揭《太平洋杂志》一九四八年三月号。

惊惧。有代表性的《经济学家》周刊今年四月卅日写道："美国政府应该及时解释它想采取什么步骤来使复兴的日本经济力不致变为新战争的危险根源。"该杂志又指出美国的政策在恢复日本，使之成为"东亚的工厂"，这"自然要使过去在自己的肩上完全承受日本侵略战争的重担的澳洲人与中国人不能了解华盛顿新政策，他们提出一个问题，日本在恢复自己的力量以后将走那一条路。美国不应忽视它过去在太平洋上同盟者的意见与感觉"。

菲律宾虽然事实上还是美国的殖民地，但菲人对于美国扶日政策表示相当强烈的反感与惊恐。菲商会反对马上恢复对日贸易。《马尼拉时报》更讥讽地说："近卫文磨虽然已经死了，但他的精神还在美国务院里活着。"

以我国而论，除了朱世明，刘子健，胡适，胡秋原之流以外，全国人民都是反对美国扶日政策、正视日本复兴的危险的。无数的学生，教师教授，文化工作者，知识青年以至工商业家正以口头、文字和行动对美国扶日措施提出强硬抗议，反美扶日已成为日益深入扩大的全国性运动了。

这样说来，不独日本国内的反帝国主义侵略的人民力量已经抬头，远东盟国的人民对日帝卷土重来的警惕性也已提高，中国更不是“九·一八”或“七七”以前的中国，这些是防止日帝国主义复兴的有力的保证。

不过，美帝扶日既日益积极，不因同盟国的反对而敛迹，远东各国人民正视这种威胁和起来加以制止，是非常必要的。

# 后　记

本书完稿付排之后，美国“经济合作总署”的高级官员，于八月八日宣布，数额一亿七千五百万的“援华”借款，将间接用于协助中日贸易之复兴，南京政府应供给日本以煤（主要是开滦煤）铁（主要是大冶铁）等工业原料，而由日本售给中国以工业品，自美国“援华”款下取得美元，作为货价，而日本拿这些美元转向美国买棉花。跟着前任行政院长张群决定于八月廿日到日本去“访问”一番。这些事实说明了美帝国主义之扶植日本无所不用其极，在美帝导演之下，以中国为牺牲的新的“东亚共荣圈”已在形成之中。

面临着这种威胁，对于美国管制下的日本之认识，是更有其必要了。作者撰写本书，由于材料、篇幅和时间的限制，原没有打算作全面和深入的论述，而只想以美国片面管制和扶植日本的政策为中心，描出战后日本一个轮廓，看看《波茨坦宣言》关于日本的规定是否已经履行，投降三年后的日本与投降前的日本究竟基本上有什么不同。这些问题得到解答，美国扶日复兴会不会危及中国和其他远东盟国的安全一问题也可以不辩自明了。

本书的论述就是以此为中心而展开的。虽然组织得不够严密，写得也不够生动，但总希望这种已触及战后日本问题的各主要方面的综括的论述，能够帮助一般读者认识日本和正视美国扶日的危险。

本书所根据的资料大部分是采自报馆资料室，东京和上海的朋友也提供了或多或少的日英文资料。以日本书报外销解禁未久，手头的日文材料虽已尽量应用，还嫌不多。但所有曾帮助作者搜集资料和在其他方面帮忙的朋友，都值得感谢。

郭沫若先生在百忙中分神读过本书原稿之后复赐撰序言，虽奖饰之处使人惭愧，掖励后进之意又使人感奋，应深深致谢。

本书匆匆执笔，错误自所不免，至盼日本问题专家和读者予以指正。

思慕　一九四八年八月十二日于香港

## 三联经典文库第二辑简目

《游击战教程》　明凡 / 著

《游击战术纲要》　陶剑青 / 编著

《汪精卫卖国的理论与实践》　钱俊瑞 / 著

《抗战以来》　韬奋 / 著

《陕行纪实》　楚云 / 著

《随军散记》　沙汀 / 著

《被日寇囚系半载记》　王研石 / 著

《倭营历险记》　房沧浪 / 著

《活跃的新西北》　田影 / 编著

《保卫华北的游击战》　刘清扬　陈北鸥等 / 著

《徐州突围》　《徐州突围》编委会 / 编

《沦亡的平津》　长江　小方等 / 著

《淞沪火线上》　胡兰畦等 / 著

《瞻回东战场》　长江　罗平 / 著

《东线的撤退》　胡兰畦等 / 著

《抗战中的西北》　徐盈 / 著

《鲁闽风云》　徐盈等 / 著

《西线生活》　西北战地服务团集体创作

《中国解放区见闻》　［美］福尔曼著 / 朱进译

《全面抗战论》　潘汉年 / 著

《日本的间谍》　范士白自述 / 尊闻译

《日本大陆政策的真面目》　国难资料编辑社 / 编

《民众动员论》　李公朴 / 著

《中国外交史》　钱亦石 / 编著

《太平洋军事地理》　蒋震华 / 著

《世界经济地理讲话》　思慕 / 著

《列强军力论》　［德］马克斯·威纳尔著 / 宾符　仲持　梅益等译

《近代国际关系史》　张铁生 / 著

《太平洋现势手册》　沈志远　石啸冲 / 编著

《近代世界政治史》　钱亦石 / 著

《从战争到和平——一九四五年的世界政治》　乔木 / 著

《战后日本问题》　思慕 / 著

《最近一年间的国际动态（1946.7–1947.6）》　《东北日报》社 / 编

《论政党》　翟放 / 著

《法与宪法》　韩幽桐 / 编著

《中华民国宪法刍议》　罗家衡 / 著

《民主·宪法·人权——作之民》　费孝通 / 著

《宪法论初步》　潘念之 / 著

《对反民主的抗争》　韬奋 / 著

《农村改进的理论与实际》　江恒源 / 著

《上海产业与上海职工》(上下)　　朱邦兴　胡林阁　徐声 / 合编

《陶行知教育论文选辑》　　陶行知著 / 方与严编

《中国通货膨胀论》　　杨培新 / 著

《中国及其未完成的革命》　　H·普拉特著 / 蒋天佐译

《中国的建设问题与人的训练》　　卢作孚 / 著

《论中国特殊性及其他》　　艾思奇 / 著

《中国经济问题讲话》　　钱俊瑞　徐雪寒　王渔邨　姜君辰

骆耕漠 / 合著

《中国经济的道路》　　许涤新 / 著

《中国财政之病态及其批判》　　孙怀仁 / 著

《官僚资本论》　　许涤新 / 著

《五四运动之史的评价》　　陈端志 / 著

《中国通史简编》(上下)　　中国历史研究会　范文澜 / 主编

《论文学的工农兵方向——读〈在延安文艺座谈会上的讲话〉》

雪苇 / 著

《中国近代史(上编　第一分册)》　　武波 / 编著

《文学百题》　　傅东华 / 编

《中国史学之进化》　　周谷城 / 著

《论民族形式问题》　　胡风 / 著

《论批评》　　荃麟等 / 著

《中国史纲》(第一卷上下、第二卷上下)　　翦伯赞 / 著

《近代中国思想学说史》(1–4)　　侯外庐 / 著

《中国政治思想史》（上下）　吕振羽／著

《中国哲学史纲要》　向林冰／著

《中国政治史讲话》　钱亦石／著

《中国社会经济史纲》　王渔邨／著

《新财政学大纲》　千家驹／著

《太平天国革命运动论文集——金田起义百周年纪念》

华北大学历史研究室／编

《理性与自由——文化思想批评论文集》　胡绳／著

《战斗者的诗人》　黄药眠／著

《国语文法》　曹朴／著

《教育哲学》　张栗原／著

《妇女问题讲话》　杜君慧／著

《婚姻·子女·继承》　沙千里／著

《性教育新论》　布士克　雅各生合著／董秋斯译

《狱中杂感》　杜重远／著

《七人之狱》　沙千里／著

《爱迪生传》　伍况甫／译

《歌德自传》（上下）　歌德著／思慕译

《尼赫鲁自传》　［印度］尼赫鲁著／毕来译

《列宁传》　［苏］凯尔任采夫著／企程　朔望译

《罗斯福总统传》　C. Mackenzie 著／张尚之译

《托尔斯泰传》（1–3）　［英］阿尔麦·莫德著／徐迟译

《革命文豪高尔基》　［美］亚历山大·康恩著/韬奋编译

《鲁迅纪念特辑》　新中国文艺社/编

《回忆鲁迅先生》　萧红/著

《人民文豪鲁迅》　平心/著

《亡友鲁迅印象记》　许寿裳/著

《鲁迅思想研究》　何干之/著

《鲁迅研究》　夏征农/编

《过来的时代：鲁迅论及其他》　雪峰/著

《电影戏剧表演术》　洪深/著

《日常心理漫谈》　［美］约瑟夫·查斯特罗著/曾宝施译

《心理常识漫话》　朱智贤　杨云美/著

《读书的方法与经验》　王任叔/著

《美国黑人生活纪实》　［美］加德维尔　斯坦倍克著/董秋斯译

《初访美国》　费孝通/著

《事业与成功》　［美］马尔腾著/汪原放译

《萍踪寄语（初集）》　韬奋/著

《一生的幸福前途——〈生活周刊〉信箱选集》　生活书店/编选

《深刻的印象》　生活周刊社/编

《海外的感受》　生活书店编译所/编

ISBN 978-7-108-04655-0

定价：26.00元